치유를 원하시나요?

치유를
원하시나요?

권예리 지음

권예리목사의 인생실화

차례

할렐루야!

하나님의 은혜는 끝이 없고 깊이를 아무도 알 수가 없다. 이 땅에서 가장 미천한 존재였던 나, 외로움과 고독에 몸부림치던 내가 너무나 크고도 넓은 하나님의 은총을 받았다. 속된 말로 대박의 인생이 된 것이다.

지금도 나는 아침에 눈을 뜨면 내 볼을 꼬집어본다. 이 많은 은혜를 내가 과연 받을 자격이 있는지 그러면서 곰곰이 생각해 본다.

하나님은 우리에게 이러한 수많은 은혜를 주시려고 잔뜩 선물을 준비해 놓으셨다. 다만 우리 인간들이 각자의 마음 속 상처를 치유하지 못해 그 선물을 받지 못할 뿐이다. 얼마든지 무한대로 주시려는 하나님의 선물을 우리는 이제 받아야 할 때가 되었다. 인간들은 자신의 존재를 뛰어넘고 신앙 안에서 하나님을 영접하여 고귀한 존재가 될 수 있다. 내가 바로 그 증거이다.

나의 삶과 나의 은총을 혼자 누리지 말고 이 세상 사람들과 나누고 섬기라는 하나님의 마음을 전달하기를 원했다. 그 뜻을 가장 빠르게 크고 넓게 섬기는 방법은 책을 펴내 하나님의 놀라운 역사를 있는 그대로 드러내는 것이다.

이 책은 성령의 감동으로 쓰인 책이다. 나는 과거에 너무나 큰 고통으로 인해 모든 아픈 기억을 스스로 지운 사람이다. 그런데 성령의 인도 속에서 기도를 하니 잊어버렸던 과거의 기억이 내 입에서 나도 모르게 쏟아져 나왔다. 태아 때부터의 기억을 되돌려 주신 것이다. 태아는 뱃속에 있을 때부터 엄마가 받은 상처가 그대로 전이가 된다. 태아는 6주째부터 말을 알아듣는다고 한다. 예를 들어 엄마가 도둑질을 하면 그 아이가 태어나서 도둑으로 살 가능성이 있다. 그래서 사람들이 태교를 잘하라고 하는 것 같다. 태아 때부터가 얼마나 중요한지를 나 자신이 살아오면서 절실히 느끼게 됐다. 이 땅의 젊은이들이 결혼을 해서 태교를 잘 했으면 하는 마음이 든다. 한 마디로 이 기록들은 하나님 은혜의 증거이다. 이 책이 머릿돌이 되어 수많은 사람의 영혼을 구하고, 하나님의 나라 작은 반석 위에 올려진다면 더 바랄 것이 없겠다.

원고를 쓰는 과정에 구술하는 것을 받아 적어준 우리 치유센터 직원들과 나의 사랑하는 아들 딸, 그리고 나의 동역자 하모세 목사님에게 감사를 전한다. 그리고 이 책을 출판하는 과정에서 원고를 읽을 만하게 손봐준 출판사와 편집자에게도 진심어린 감사를 보낸다. 그들의 도움을 통해서 내 글이 더욱 빛나게 되었지만 여전히 부끄럽고 죄송하다.

　하지만 누구 한 사람의 작은 영혼의 상처라도 구할 수 있다면 이 책이 출간된 보람이 있을 것이다. 할렐루야! 아멘.

2017년 새봄 철야기도를 마치고
권예리 목사

하목사님의 가족이 한자리에 모였다. 한 자매님이 보였다.

"하나님, 자매님을 불쌍히 여겨 주옵소서. 본인의 죄도 있지만 윗대에서 우상숭배하고 저질렀던 죄 때문에 이렇게 자매님이 고통을 받고 있는 줄로 압니다. 가족들이 대신 회개하고 있으니 은혜와 긍휼을 베풀어 주옵소서. 저희들은 치유를 할 수가 없습니다. 하나님이 아니면 아무도 치유할 수가 없습니다. 치유의 기름부음을 내려 주시기를 원합니다."

하목사님의 가족도 함께 간절하게 기도를 했다. 특별히 부모님들이 하나님의 말씀에 순종하지 못하고 하나님을 만나기 전에 우상숭배하고 하나님 앞에 지었던 죄를 안타까움으로 간절히 회개하고 있었다.

하나님이 영안을 열어주셔서 자매님의 영적 상태를 보니 군대 귀신이 그 자매님을 장악하고 있었다. 하나님은 나에게 안수를 하지 않고 몸에 손을 대지 않아도 그 속에 역사하는 악한 영들을 발견하기만 하면 그 영들을 결박해 주시는 은사를 주셨다.

"나사렛 예수 그리스도 이름으로 명하노니 이 딸에게 역사하는 귀신들아! 당장 떠나갈지어다!"

자매님 속에 장악하고 있는 군대 귀신이 물러가는 것을 영적으로 보게 되었다. 그 순간 자매님의 얼굴이 밝아지면서 입가에는 환한 미소를 지고 있었다. 하나님이 은혜를 베푸셔서 치유의 영이 임한 것이다.

"목사님 누님은 이제 괜찮을 겁니다. 하나님이 일단 약을 끊어도 된다고 말씀하세요. 하지만 우리 안에 쓴 뿌리가 있으면 악한 영들이 들락날락거리니깐 지속적으로 회개하시면서 사랑으로 돌봐야 할 것 같습니다. 암 같은 육신의 질병도 오랜 기간을 거쳐서 치료하듯이 영적인 병도 마찬가지입니다. 바로 치유되는 병도 있지만 누님 같은 병은 정신 문제를 오래 앓아 온 만큼 완전히 적응하려면 시일이 조금 걸릴 수 있습니다. 온 가족이 더 회개하며 기도하셔야 합니다. 누님은 앞으로 하나님이 우울증, 분열증 환자들을 치유하는 귀한 치유사역자로 사용하실 겁니다."

"목사님, 너무 감사합니다. 지금까지 많은 기도원을 다녔고 복지 시설에서도 많은 보살핌을 받았지만 상태가 호전되는 것 같아도 치유되지가 않았습니다. 하지만 이제는 하나님이 치유하셨다는 확신이 드니 안심이 됩니다. 이 은혜를 어떻게 갚을지 모르겠습니다."

"제가 한 것은 하나도 없습니다. 모든 것은 하나님이 하셨습니다. 오직 하나님께만 영광을 돌립니다."

하목사님의 가족 모두 기쁨과 감격이 넘쳐나고 있었다.

1부

버려진 전쟁 고아

Healing

돌이켜본 지난 날

가랑비가 부슬부슬 내리던 어느 날이었다. 모처럼 전주에 사는 큰 딸 집으로 가서 세 살 박이 외손주와 함께 한방에서 잠을 자게 되었다. 사위는 거실에서 잠들고 한방에서 외손주와 딸과 함께 잠을 청했다. 그러나 할머니의 존재가 신기했던지 외손주는 쉽게 잠을 자지 않으며 칭얼댔다.

"할머니, 잠이 안 와!"

나는 그런 손주가 귀엽기만 했다.

"오 그래. 어여 자라."

나는 손주를 토닥여 주었다. 그러나 당시 우울증과 스트레스가 많았던 딸은 제 시간에 손주가 잠들지 않자 신경이 예민해졌다.

"어서 자."

잠이라는 게 노력한다고 쉽게 드는 게 아닌데 말이다. 딸은 계속 흥분을 가라앉히지 않았다.

"어서 자라. 좋은 말로 할 때."

딸의 언성이 높아졌다. 그래도 손주는 칭얼댔다. 어린 아이가 무슨 죄가 있을까?

"이게 정말 자라니까!"

딸이 참다못해 화를 폭발시켰다. 하나밖에 없는 순둥이인 외손자에게 버럭버럭 소리를 지르고 손으로 때리는 시늉까지 하며 아이에게 화를 냈다.

"야! 빨리 자! 빨리 자라고! 눈 감아! 이걸 확! 죽여 버리기 전에 빨리 자!"

내가 있어도, 자신의 남편이 거실에서 자고 있어도 아랑곳하지 않았다. 딸은 소리를 지르고 폭언을 내뱉으며 잠을 자지 않는다는 이유로 그 어린 자기 아들에게 눈을 부라리며 악을 써대고 있었다. 그런데도 어린 손주는 신기하게도 울지도 않았다. 그냥 주눅이 들어 겁에 질린 표정으로 손가락만 빨아대고 있었다.

보다 못한 내가 타이르기 시작했다. 하지만 마음과 달리 나도 모르게 딸과 같이 소리를 질러버렸다.

"애가 잠이 와야 자지! 어린 것이 혼난다고 잠이 오냐? 엄마라는 것이 안아주고 달래면서 재워야지. 너는 뭐하는 짓이냐? 아주 미쳤네, 미쳤어!"

순간 딸이 악에 바치듯 분한 듯이 나를 향해 악다구니를 써 댔다.

"뭐? 엄마도 그랬잖아! 내가 이러는 거 다 엄마한테 배웠거 든? 엄마도 우리한테 이랬잖아. 애를 키워 보니 기억나네! 엄마 가 얼마나 이상했었는지."

분하다는 듯 퍼붓는 딸의 악다구니에 아무 말도 할 수가 없었 다. 늘 그랬듯이 짜증과 분노가 일상이 된 자식들에게 공격을 당 할 때마다 무섭기도 하고 죄스럽기도 하여 아무 말도 못한 채, 그날 밤도 뜬눈으로 지새웠다.

그 무렵부터 수년 동안 될 수 있는 한 하루도 빠지지 않으려 고 노력하는 마음으로 하루에 2시간에서 3시간만 자며 예전보 다 더욱 기도와 말씀에 집중을 하고 있었다. 그때의 그 부족했던 잠과 열악한 환경들로 인해 나는 한동안 위장병, 지방간, 우울증 등으로 고생을 하였다. 나 역시도 남을 푸근하게 감싸줄 그릇이 못 되는 사람이었으니까.

그날 그 광경을 소리 없이 지켜보는 외손자의 겁에 질린 눈망 울은 한동안 머릿속에서 지워지지 않았다. 과거의 겁이 많았던 나의 모습들이 기억나 한동안 슬픔에 잠겨 힘들었다.

그 이후로 매일 밤을 뜬눈으로 지새우며 기도하던 중에 나는 꿈인지 환상인지 모르게 주절주절 이상한 이야기들을 쏟아내

기 시작했다. 소리를 지르며 아이처럼 엉엉 울기도 하고 무서워
서 떨기도 하며 한 번도 기억해내지 못했던 장면들이 떠오르기
도 했다. 태아는 엄마 뱃속에 있는 하나의 미완성된 생명체임에
도 불구하고 태아시절의 고통과 두려움을 그대로 느끼는 신기
한 경험을 했다. 이 책은 그 신기한 환상의 기록이자 내 삶의 여
정을 기록한 것이다.

1부. 버려진 전쟁 고아

기이한 환상

나의 출생을 이야기하려면 환상을 말할 수밖에 없다. 과거로 기억의 바퀴를 거꾸로 한없이 돌리면 대개의 사람들은 서너 살의 기억에서 멈춘다. 그전은 기억하지 못하기 때문이다. 그러나 나는 그 이전으로 더 내려가게 된다. 기도 속에서 하나님과 소통하는 시간이 되면 눈앞에 환상을 보여주시는 것이다. 태중에 있던 나는 폭력의 고통을 기억할 수밖에 없었다.

"죽어라! 죽어! 차라리 너 같은 년은 뒈져야 해! 딸만 낳아놓은 채 또 애를 뱄단 말이냐? 너 또 딸이겠지. 재수 없는 년 같으니라고."

양평군 청운면의 작은 동네. 아버지의 폭력은 어머니에게 한

없이 쏟아졌다. 엄마는 숨이 넘어가도록 맞으면서도 여인의 본능으로 배를 감쌌다. 뱃속에 있는 나를 보호하기 위해 안간힘을 쓰는 것이다. 그러면서도 뱃속의 나에게 속삭였다.

"아가야, 미안해. 아가야, 참고 견디자. 엄마가 미안해. 미안해."

아버지는 경기도 청운면 사람으로 농사도 짓고, 정미소 관리도 했다. 청운면은 군청의 외곽에 위치한 산골이었다. 임야가 대부분을 차지했고 대부분의 주민이 농업에 종사했다. 아버지는 동네일을 잘 챙겨 반장이나 이장도 한 분이었다. 외모는 순박하고 아주 선한 용모였다. 선비 스타일로 순박했지만 술만 먹으면 당시의 가부장적 풍습대로 가족을 힘들게 했다. 술 취해 아내를 개, 돼지처럼 두들겨 패는 아버지의 모습은 나에게는 폭력 그 자체였다. 아버지는 어머니를 때리고 또 때려 갖은 흉악한 패악질을 해댔다. 저주의 말을 퍼부은 뒤 결국은 잠이 든다. 만취한 채 정신을 잃은 것이다. 그제야 웅크리고 있던 엄마는 허리를 펴며 눈물콧물을 닦아내며 울먹이며 말했다.

"아이고, 내 팔자야."

그러면서 아버지를 향해 외쳤다.

"이 웬수야. 이 나쁜 놈아. 술이나 처먹고 와서 주정이나 부리고."

그건 그냥 엄마의 푸념일뿐이었다. 다음날이면 다시 아버지는 술에 취해 엄마를 한없는 폭행으로 괴롭혔다. 폭언과 폭행이 매

1부. 버려진 전쟁 고아

일 이어지는 속에서도 엄마는 그 시대 여인들이 늘 그러하듯이 무서워도 참고 슬퍼도 이를 악물어야만 했다. 고독하고 외로워서 울어야 했고 가난해서 울어야 했다. 이러한 슬픔과 고통에서 하루하루 버티며 죽는 것만도 못한 삶을 살았다.

라마에서 슬퍼하며 크게 통곡하는 소리가 들리니
라헬이 그 자식을 위하여 애곡하는 것이라 (마 2:18)

나는 이미 태속에서부터 공포가 무엇인지 두려움이 무엇인지부터 느껴야 했다. 태교가 시작될 시점에 나는 온갖 안 좋은 영향을 받으며 뱃속에서 세상에 나올 날을 기다려야 했다. 본능적으로 아버지의 목소리가 들려오면 자궁 속에 나는 딱딱해지면서 몸을 움츠려야 했다.

"쿵쿵!"
어느날 갑자기 멀리서부터 마치 지진이라도 난 것처럼 천지가 울렸다. 나는 환상 속에서 그것을 느낄 수가 있었다. 그것은 아버지의 폭력이 아니었다. 그것보다도 수백수천 배 큰 폭력의 힘이었다. 바로 1950년 6월 25일에 전쟁이 난 것이다. 그 소리가 너무 커 두려움에 떨었지만 엄마에게 가해지는 폭력은 더 이상 느껴지지 않았다. 주위 사람들의 불안함이 나에게 전달되어

왔다. 사람이 죽어가고 울부짖으며 고통스러워하는 신음이 모두 다 느껴졌다. 두려움과 공포가 다시 새롭게 나를 엄습했다. 어느 순간 엄마는 짐을 싸기 시작했다.

"어서 피난 가자. 빨갱이들이 몰려오기 시작한다."

내 고향 양평 사람들은 짐을 싸며 피난 갈 준비를 했다. 그리고 엄마는 보따리를 이고지고 어딘가로 급히 살기 위해 달려가야만 했다. 나는 엄마의 고통과 긴장이 느껴져 뱃속에서 발버둥을 쳤다. 하지만 나의 발버둥을 신경 쓸 상황이 아니었다. 부른 배를 끌어안고 엄마는 살겠다는 일념으로 달렸다. 피난처에 숨어 쪼그린 채 그제야 뱃속의 나에게 위로의 말을 건넸다.

"미안하다. 아가. 아들인지 딸인지 모르지만 미안하구나. 미안해. 이런 험한 세상에 나오게 해서."

엄마의 흐느끼는 소리에 나는 슬픔을 그대로 느낄 수 있었다. 불쌍한 우리 엄마, 온 동네에서 구박받고 남편에게 두들겨 맞는 엄마, 가장 슬픈 민족이 가장 고통 받는 시절에 나는 엄마의 뱃속에서 두려움과 서러움에 떨고만 있었다.

나의 작은 아버지는 붉은 사상을 가진 사람이었다. 전부터 아버지와는 생각이 다른 사람이었다. 그 둘은 늘 갈등을 일으켰다. 세상이 바뀌자 졸지에 권력을 잡은 작은 아버지는 아버지를 협박했다. 말을 듣지 않고 전향하지 않으면 죽여 버리겠다는 말에 아버지는 죽음의 공포를 느꼈다.

아버지는 가난과 그 두려움을 풀 곳이 없어 늘 폭력으로 우리를 대했다. 극도의 공포와 알코올성 치매는 결국 아버지를 우울증으로 몰았다. 어느 날 산으로 올라가 자신의 목을 나무에 매어버린 것이다. 세상을 살아갈 용기가 없고 폭력으로 그 두려움을 해소하는 것도 한계가 온 것이다.

"아이고! 아이고! 날 놔두고 죽으면 어쩌란 말이오? 이 무정한 사람아! 아이고, 아이고!"

남편 없이 이 험한 세상을 살아가야 한다는 것이 얼마나 무섭고 두려운 일인지 엄마는 본능적으로 알았다. 넋을 놓고 매일 울었던 것이다. 그 두려움은 폭력의 두려움보다 더 크고 무서웠다. 나는 그 슬픔이 뱃속에서도 전달되는 것만 같았다. 엄마에게서 주어지는 영양분을 아무것도 먹지 못했다.

그러나 엄마는 동네에서도 이미 작은 아버지가 좌익 활동을 한다는 이유만으로 천대받는 존재가 되었다. 엄마의 신세한탄이 이어졌다.

"나는 살아서 무엇 하겠어! 죽어야 돼! 나 같은 년은 박복해서 죽어야 돼."

엄마는 울고불고 소리 지르다 부엌에서 막걸리를 벌컥벌컥 마시고 비틀거리며 정신없이 돌아다녔다. 그리하여 엄마가 간 곳은 아버지가 죽은 뒷산이었다.

"나도 너희들 아빠처럼 죽어버리겠다."

그러나 무거운 몸으로 목을 맬 수는 없었다. 털썩 땅바닥에 주저앉은 뒤 한없이 통곡을 할 뿐이었다. 그리고는 뱃속에 있는 나를 쓸어안고 말했다.

"미안하다. 아가야 정말 미안해."

그 뒤로도 좌익 일을 하고 있던 작은 아버지는 우리 가족을 한없이 괴롭혔다. 형에 대한 원한이 남아있었던 것이다. 그때마다 우리 집안은 풍파가 일어났다. 엄마는 소리치고 통곡하며 살려달라고 비는 일을 반복했다. 이 모든 일이 나의 운명을 어둡게 드리우는 그늘이 될 줄은 몰랐다.

고난이 연속으로 온다고 그때 하나뿐이던 집안의 기둥인 큰 오빠 역시 군대에 자원입대해서는 결국 총에 맞아 억울한 죽음을 당하고 말았다. 또한 나의 네 명의 언니 가운데 가장 예쁜 언니는 인민군에게 끌려가 불행하게도 생매장을 당했다. 그리고 한 언니는 병들어 죽었다.

엄마는 연이은 고통에 혼절할 지경이었지만 매일매일 눈물과 고통으로 삶을 이어가고 있었다. 모진 목숨을 끊을 수 없었던 것이다. 엄마의 그러한 고통이 환상을 꾸고 있는 나에게 전해져 사지육신이 아프지 않은 곳이 없었다. 환상에서 깨어날 때 나는 흠씬 두들겨 맞은 것만 같았다.

이 모든 환상이 너무나 생생해 나는 얼마 전 언니에게 말했다. 언니는 나보다 열 살 위였다.

"언니, 어렸을 때 이러이러한 일이 있었어?"

"어머, 네가 어떻게 아니?"

아버지가 죽고 작은 아버지가 괴롭히며 큰오빠가 전쟁에서 죽은 이야기들을 제대로 듣지도 않았는데 나는 환상을 통해서 이야기할 수 있었다.

"너무나 정확해. 딱 맞아. 네가 두 눈으로 본 것 같아."

"언니, 뱃속의 태아는 말은 못해도 6주부터 모두 알아듣는 다 잖아."

"정말 그렇구나. 그래서 태교가 필요한 거구나."

내가 이렇게 환상을 통해서 과거를 돌아볼 수 있는 것은 전적으로 하나님의 은혜였다. 인간의 인생이라는 것이 끈이 되어 얽히고 설키는 것, 그 모든 것이 하나님의 섭리인 것이다. 성령의 도움으로 이 모든 것들이 가능했다. 그 뒤로 나는 수시로 환상을 통해 경험하지도 못하고 기억하지도 못했던 일들이 내 안에서 쏟아져 나옴을 느꼈다. 녹음을 해서 듣고 보면 그것은 생생한 역사의 기록 같았다. 이 모든 것이 하나님의 은혜였다.

처음으로 하나님이 주신 환상을 본 이후에 나는 물 한 모금도 넘기지 못했다. 너무나 무섭고 고통스러웠다. 생사를 넘나드는 것 같았다. 그리곤 단 한 사람이 그리워졌다. 자궁암과 위암으로 일찍 돌아가신 우리 어머니, 정말로 보고 싶었다. 같은 여인으로서 얼마나 큰 고통을 겪었을지 안 봐도 알 수 있었다.

"엄마! 보고 싶은 우리 엄마."

전쟁중이었던 겨울, 나는 세상 밖으로 나왔다. 고통스럽고 비참한 삶의 여정이 시작된 것이다.

> 내가 죄악 중에서 출생하였음이여
>
> 어머니가 죄 중에서 나를 잉태하였나이다 (시 51:5)

1부. 버려진 전쟁 고아

맺지도 못하고 떨어진 꽃봉오리

●

　우리 집에는 가끔 남정네가 한 사람 찾아왔다. 마을에 사는 이웃 아저씨였다. 농사를 짓는 그 아저씨는 유부남이었다. 그런데도 가끔 우리 집에 와 잠을 자고 가는 거였다. 그때마다 엄마는 그 아저씨의 성적 노리개가 되었다. 그렇다고 그 아저씨가 우리를 대접해주는 것도 아니었다. 함부로 대하고 폭행과 폭언을 일삼았다.

　그러한 사람과 엄마가 만나 이상한 관계를 맺게 된 것은 우리들 때문이었다. 아버지가 죽고 난 뒤 엄마는 혼자 아이들 셋을 키워야 하는 과부가 되었다. 동네 사람들에게 고집이 세다며 구박도 많이 받았다. 욕도 많이 얻어 먹었다. 그러한 우리 엄마를 누구도 도와주려 하지 않았다.

　엄마에게는 모성애가 있었다. 우리 세 자녀를 어떻게든 키우겠다는 절박한 일념이 있었던 것이다. 하지만 전쟁이 끝난 피폐한 우리나라의 상황에서 여자 혼자 아이 셋을 키운다는 건 거의 불가능했다. 가장도 식구들을 부양하기 힘든 상황이었기 때문이다. 혼자 남은 엄마에게 현실의 무게는 너무나 무거웠다. 남의 농사일에 가서 품을 팔기도 하고, 잡화를 파는 보따리 장사도 했다. 그러나 그건 어디까지 제한적이었다. 결국 다른 여자들이 그러하듯 남자의 힘에 의탁할 수밖에 없었다. 항상 이집 저 집 먹을 것을 구하러 다니며 엄마는 애걸복걸했었다. 그러던 중에 엄마는 남자 하나를 만났다. 쌀이건 푸성귀건 뭐든 달라고 애원하는 엄마를 보고 그 남자는 말했다.

　"여기 쌀 한 포대 있으니 가져다 드세요."

　귀한 쌀이었다. 엄마는 몇 번씩 고개를 숙이며 인사를 했다.

　"감사합니다. 감사합니다."

　"아닙니다. 전쟁 뒤에 힘든데 다같이 먹고 살아야지요. 다음에도 뭐 힘든 게 있으면 말씀하세요."

　엄마는 이렇게 선하게 호의를 베푼 사람을 만난 적이 없었다. 드디어 어둠 속에만 갇혀 있던 삶에서 한줄기 서광을 발견했다는 생각이었다. 엄마가 그날 저녁 집에 오자 왠지 피식피식 웃으며 행복해했던 것을 나는 지금도 기억한다. 얻어온 쌀로 밥을 해서 우리 식구들이 맛있게 먹었던 기억도 있다.

그러나 애초부터 타고나기를 복 없이 태어난 엄마에게 즐거운 나날이 올 리 없었다. 엄마는 그 남자와 만나면서 나름의 장밋빛 인생을 설계했던 것 같다. 자신을 불쌍히 여기고 아이들을 거두어주기만 한다면 새 삶을 살 수 있을 거라 여겼으리라는 것을 이제는 이해할 수 있다.

그러나 여자에게 베푸는 남자의 호의는 결국 뒤끝이 좋지 않은 법이었나 보다. 엄마에게 베푸는 보상의 대가로 엄마의 육체를 요구했고, 아마도 엄마는 허락한 것 같았다. 가진 것이라곤 몸뚱이밖에 없는 여자가 남자에게 해줄 수 있는 것은 그것뿐이었으리라 이해할 수 있다. 가정을 가진 유부남은 그때부터 우리 엄마를 쾌락의 대상으로 여겼다. 이건 아닌데, 이건 아닌데. 엄마는 아마 그런 생각을 했을 것이다. 하지만 돌아서면 배고픈 우리 딸들을 보고 있자니 발길이 떨어지지 않았을 것이다. 지긋지긋한 가난으로 돌아간다는 것은 꿈도 꾸기 싫었다. 그가 주는 도움은 정말 달콤했다. 그가 내미는 손을 잡을 수밖에 없었다. 비록 그의 손에 독이 묻어있다 할지라도 그것은 바로 자녀들을 위한 엄마의 선택이었다.

그러나 엄마의 마음은 결코 편치 않았다. 아내가 있는 남자를 계속 만나는 것이 결코 떳떳하지 않았기 때문이다. 엄마의 괴로움이 눈에 보이는 듯했다. 아내가 있는 사람을 만나는 것은 불륜이었다. 하지만 엄마는 그 남자를 만나야 우리들의 먹을 것을 얻어올 수 있었다. 엄마는 갈등했지만 결국 이긴 것은 아이들을 굶길 수 없다는 여성의 모성 본능이었다. 아저씨를 받아들였다. 현실에 타협한 것이다.

나는 어느 날 밤 방에서 엄마가 그 아저씨에게 말하는 것을 들었다.

"우리 아이들에게 먹을 것만 주시고 배만 곯지 않게 해주시면 무엇이든 할게요. 뭐라도 해드릴게요."

아마 엄마는 이왕 더럽혀지고 고생하며 망가진 몸 무엇이 아깝냐는 생각을 한 것 같았다. 자신의 모든 것을 던진 것이다. 이래 죽으나 저래 죽으나 마찬가지라는 마음이었던 같다.

그러나 남자들은 한번 딴 열매는 다시 돌아보지 않는 듯했다. 엄마가 자기의 손아귀에 들어오자 남자는 그때부터 비웃고 깔봤다. 먹을 것을 배불리 주고 밝은 미래를 보장해 줄 것처럼 해놓고 욕심을 채우자 태도가 돌변했다. 먹을 것도 주지 않고 먹을 것을 달라며 매달리는 엄마를 폭력으로 제지하곤 했다.

그 아저씨의 뻔뻔한 행동은 엄마에게 씻을 수 없는 상처가 되었다. 엄마는 또다시 자신의 박복한 팔자에 눈물을 흘렸다. 다시 악몽에 빠지게 된 것이다. 죽어버리고 싶다는 생각을 하루에도 열두 번은 했다. 몸까지 버리고 남의 아내에게도 못할 짓 한, 정말 고개를 들어 하늘을 볼 수 없는 여자가 되었다. 하루에도 열 두 번, 어떻게 죽는 것이 깔끔하고 이 고달픈 생활에서 벗어날 수 있을까를 생각했다.

그러나 그럴 때면 우리들은 배고픈 눈으로 엄마를 바라보았다. 주린 배를 채워줄 사람은 엄마뿐이었기 때문이다. 그러면 엄마는 또 체념하고 말았다.

'아니 죽다니, 저 새끼들을 두고 내가 어떻게 죽어. 악착같이 살아야 돼. 될 대로 되라지 뭐. 어차피 망가진 인생이야.'

엄마는 자신의 권리나 의무는 더 이상 생각지 않기로 했다. 집에서 남자가 아무 때나 찾아오면 그의 욕망을 채워주고 조금 건네주는 식량에 의지하는 삶이 시작된 것이다. 대개 딴 살림을 차리면 그 소실에게는 온갖 호화와 사치를 주고 본부인은 고생한다는 옛이야기가 있다. 그러나 그것은 우리에게는 순 거짓말이었다. 아저씨는 엄마를 성적노예로 삼았을 뿐이고 그것만으로도 부족했는지 우리 자매에게 폭언과 폭행을 서슴지 않았다. 술에 취해 난동을 부리고 나서는 집을 때려 엎고 자신의 집으로 돌아가기를 반복했다.

그때 내 나이는 일곱 살, 엄마는 무슨 생각을 했는지 이대로 가다간 큰 딸들까지도 망치겠다 싶었는지 서둘러 큰 영자 언니를 서울로 보내 취직을 시켰다. 언니가 집을 떠난 것이다. 너무 어려 언니가 집을 떠난다는 게 무슨 의미인지도 나는 잘 몰랐다.

또다시 작은언니는 어디로 팔려가듯 사라졌는데 나중에서야 큰
언니에게 가서 함께 지낸다는 것을 알았다. 결국 엄마 옆에는 어
린 나만 남았다.

엄마는 술 취해 들어오는 아저씨로부터 여자만 넷이 있는 집
에서 큰 딸들을 지키려고 그러한 지혜를 낸 것이다. 어린 나에게
무슨 일이 있으랴 싶었던 게 엄마의 생각이었다. 그러나 그것은
정말 일생일대의 큰 실수였다. 내 나이 일곱 살이었지만 술에 취
한 야수와 같은 아저씨에게는 여자로 보였나 보다. 나를 지켜줄
사람은 아무도 없었다. 엄마가 나를 다락에 숨기면 그때는 아저
씨가 오는 날이었다. 다락방에 숨어 나는 벌벌 떨며 아저씨가 엄
마를 겁탈하는 장면을 다 듣고 울고 있어야 했다. 그걸로 끝나는
것이 아니라 폭력과 욕설이 이어졌다. 아마 지금 생각해보면 자
신의 어떠한 억눌린 성욕과 욕망이 그렇게 분출되는 것 같았다.
그가 올 때마다 온통 술 냄새가 절었고, 그의 술주정은 꼭 엄마
를 때리는 폭력으로 이어졌다.

지켜보는 나의 마음에는 그때마다 상처와 흠집이 생기고 있었
다. 너무나도 무섭고 슬퍼 울고 싶었지만 울 수도 없었다. 아저씨
가 간 뒤 엄마의 퉁퉁 부은 얼굴을 쓰다듬어주며 나는 울었다.

"엄마, 울지 마. 울지 마."

엄마는 박복한 자신의 팔자를 탓하면서도 나를 꼭 끌어안았다.

"미안하다. 나 땜에 네가 고생하는구나."

가슴을 치며 통곡했다. 그럴 때면 다시 그 아저씨가 나타나 엄마를 개 패듯이 팼다. 그 아저씨의 폭력은 결국 나에게도 이어졌다. 숨어있는 나를 끄집어내 방바닥에 패대기치며 말했다.

"내 새끼도 아닌 것을 내가 왜 먹여 살려야 되는 거야? 눈알을 확 뽑아버린다. 확 찔러 죽였으면 좋겠다."

제 정신이 아니고서야 어린 나에게 어찌 그럴 수 있었을까? 때리고 차는 것은 일도 아니었다.

그러던 어느 날 방안에 혼자 있는데 술에 취한 아저씨가 방으로 들어왔다. 엄마가 잠시 마실을 나간 사이에 나는 아저씨를 맞닥뜨린 것이다. 나를 보자마자 기분이 나쁘다는 듯이 몇 대 후려갈겼다. 나는 저만치 나가 떨어졌다.

"니네 엄마 어디 있어?"

"몰라요. 밖에 나갔나 봐요."

"빨리 엄마를 찾아와야 될 거 아냐?"

"어디 갔는지 몰라요."

남자의 짐승 같은 본능이 고개를 들었나보다. 아저씨는 나의 팔다리를 꽉 붙잡았다. 그 다음 일은 차마 말할 수가 없다. 안 된다고 울며불며 소리치는 나는 결국 정신을 잃고 말았다. 한없는 고통의 나락에 빠진 것이다.

꿈에서 아빠가 나타났다. 나를 별로 사랑해주지도 않던 아빠였지만 나를 버리고 저 멀리 도망가는 거였다.

"아빠 아빠!"

아무리 부르며 쫓아가도 아빠는 가까워지지 않았다.

너무나 심한 고통에 나는 눈을 떴다. 나의 몸에는 피가 흐르고 있었고 아저씨는 어디로 갔는지 사라졌다. 나도 모르게 내가 알고 있는 최고의 큰 욕을 중얼대고 있었다.

"나쁜 놈, 나쁜 놈."

내가 할 수 있는 말과 행동은 그것뿐이었다. 정말 죽는 게 무엇인지 모르지만 당장 죽을 수 있다면 죽고 싶었다. 아빠 따라 나도 저 세상에 가고 싶었다.

그날 늦게 돌아온 엄마는 아무 말없이 나를 대해주었다. 아마 짐작하고 있었겠지만 차마 이것을 드러내어 말할 수는 없었던 것이다. 엄마가 알면 큰일 날까 봐 나 역시 입을 다물었다. 그 뒤로도 아저씨는 술만 먹으면 집에 와서 한을 풀듯이 나와 엄마를 번갈아 때리고 학대했다. 나 역시 함께 맞으며 눈에 멍이 들고 기절하기 일쑤였다. 엄마가 아무리 말리고 애원해도 소용이 없었다. 남자의 힘을 당할 순 없었기 때문이다.

이 모든 것을 돌리고 싶어도 돌이킬 수 없었다. 모든 것이 사실이다. 지금도 가끔 기억을 떠올리면 고통스럽지만 무덤덤하게 말할 수 있다. 너무나 고통스럽고 무서운 기억이었지만 나는 엄마와 너무도 닮은 인생을 살게 되었다. 어린 나이부터 포기를 배운 것이다. 매일 밤 악몽을 꾸었다. 그리고 나는 인생이 무엇인지 왜 살아야 하는지 알 수 없었다. 그저 숨 쉬지 않고 이 세상을 떠날 수 있다면 좋겠다는 생각을 했다. 사람의 삶이 꽃이라면 나는 맺어보지도 못하고 떨어진 꽃봉오리였던 것이다.

잔인한 초등학교 시절

전쟁이 끝난 지 얼마 안 된 가난하고 고통받는 어려운 시기였다. 나이가 차니 학교를 가야 했다. 주위 사람들이 아무리 가난하고 힘들어도 학교는 의무적으로 가야 한다고 말했다.

"학교는 의무교육이에요. 꼭 가야 돼."

"영순이는 학교 다녀야 돼."

동네 아줌마들이나 아저씨들이 이런 말을 지나가며 한 마디씩 해주는 바람에 나도 초등학교에 입학할 수 있게 되었다. 그러나 엄마는 힘든 삶 때문에 나를 학교에 데려갈 경황이 없었다. 그저 동네 아저씨들이 일러주어서 나는 학교 가는 날이라는 걸 알았다.

"영순아, 오늘 입학식 날이니까 어서 학교 가라."

그런 형편이니 나는 학교 갈 때 무엇을 어떻게 준비해야 하는지 어떤 마음을 가져야 하는지도 알지 못한 채 동네 아이들을 따라 학교로 발걸음을 옮겼다.

내가 간 학교는 동네의 청운 초등학교. 일제 강점기에 설립된 오래된 역사를 가진 학교였다. 학교라는 곳에 가보니 다른 아이들은 엄마나 아빠의 손을 잡고 왔다. 나만 혼자 초등학교 입학식에 참여한 거였다. 운동장 가득 아이들이 서 있고 거기서 나는 묵묵히 다른 아이들이 하는 것처럼 흉내를 내며 선생님들이 시키는 대로 했다. 아무것도 손에 든 것도 없이 그저 까만 고무신을 신은 채 행렬을 따라 교실로 들어갔다. 교실에 자리를 잡고 앉자 아이들은 벌써 가방에서 노트와 연필 등을 꺼내 책상 위에 얹어 놓고 있었다. 내 책상만 휑하니 비어 있었다. 아이들이 여기저기서 그런 날 보고 수군대는 소리가 들렸다.

"촌뜨긴가 봐. 아무것도 없이 학교를 왔어."

"세상에 연필도 없고 공책도 없잖아."

"저래 가지고 무슨 공부를 한다는 거지?"

이런 소리가 들려오자 나는 너무나 슬펐다. 그때 잘 생긴 남자 선생님이 들어와 아이들에게 말을 건넸다.

"얘들아, 안녕? 앞으로 너희들과 일 년간 공부할 선생님이야. 내 이름은 원세훈이란다."

선생님이 이야기를 시작해 아이들이 선생님에게 집중하는 동안 나도 모르게 옆에 있는 아이의 연필을 훔쳤다. 슬그머니 연필을 집어다 내 책상에 놓으니 나도 안심이 되었다. 다른 아이들 책상에 다 있는 연필이 나에게도 하나 있었기 때문이다. 선생님이 이런저런 주의사항을 주고 있는데 갑자기 옆자리에 있던 아이가 손을 들고 다급하게 말했다.

"선생님! 제 연필이 없어졌어요!"

"그래? 누가 연필 가져갔니?"

아무도 손들지 않았다. 나도 물론 손들 수는 없었다. 나도 모르게 우발적으로 한 행동이었기 때문이다. 와들와들 떨고만 있었다. 나는 그때는 그렇게 철이 없었다.

선생님은 한 아이들씩 책상과 노트와 연필을 조사해보기 시작했다. 내 앞에 와서 딱 선, 선생님은 움직이지 않았다. 누가 봐도 연필 한 자루만 책상 위에 달랑 놓여 있는 것을 보니 내 것이 아닌 것이 분명해보였다.

"영순이가 연필 가지고 있네?"

선생님이 나를 바라보며 말을 걸자 이제 곧 주먹이 날아온다는 생각에 무조건 손바닥을 비비며 빌었다.

"선생님, 잘못했어요! 잘못했어요! 용서해주세요! 용서해주세요!"

어릴 때부터 학교에 들어오기 전까지 나는 어른들만 보면 매를 맞은 기억밖에 없었다. 그러니 무서웠다. 어른은 나에게 아이들을 괴롭히는 존재일 뿐이었다. 게다가 나는 남의 물건을 훔친 게 아닌가? 하지만 죄책감보다는 어른이 내 앞에서 나를 바라보고 있다는 두려움이 더 컸다.

그러나 선생님은 인자하게 말했다.

"영순아, 내가 네 마음 알고 있어. 연필이 갖고 싶었구나."

세상에서 처음 들어보는 부드러운 목소리였다. 천사의 목소리가 있다면 바로 그런 목소리였을 것이다. 게다가 예상을 뒤엎고 선생님은 화도 내지 않으면서 내 머리를 쓰다듬어 주셨다.

"그렇게 연필이 갖고 싶었니?"

부드러운 목소리가 위로의 손길로 내 마음을 어루만졌다. 나는 그 순간 모든 긴장이 풀리며 서러움의 눈물이 쏟아져 나왔다.

"엉엉엉! 잘못했어요. 선생님 잘못했어요."

울음은 그치지 않았다. 선생님은 모든 걸 이해하는 것 같았다.

"울지 마라. 영순아, 울지 마. 그럴 수도 있어. 선생님이 다 알아."

선생님은 내 머리를 쓰다듬어 주셨다. 그 한 말씀에 나는 너무너무 죄송하고도 고마워 고개를 들 수 없었다. 그제야 친구들이 나를 바라본다는 부끄러운 마음이 생겼다. 다시는 이런 짓 하지 말아야겠다는 생각이 들었는데 측은했는지 마음씨 착한 아이가 나에게 연필을 내밀었다.

"나 연필 많아. 너 하나 줄게."

그러자 또 다른 아이가 다가왔다.

"이 공책은 네가 가져. 나 공책 여러 개 있어. 우리 앞으로 친하게 지내자."

역시 아이들은 아이들이었다. 노트와 연필이 없어서 울고 있는 나를 보고 마음이 동했던 것이다. 나는 그저 소리 없이 울기만 했다. 처음으로 이곳 교실은 나를 위한 사람들이 있고, 내 친구와 선생님이 따뜻하게 나를 대해준다는 것을 알게 되었다. 평생 처음 느껴보는 행복함이었다.

그러나 그 행복감은 곧 이내 비참함으로 변했다. 다른 아이들은 엄마와 아빠, 삼촌과 언니들이 있었지만 나는 아무도 없었다. 너무나 초라하고 외로웠다. 소리 내어 울진 않았지만 계속 학교를 다니면서 마음속으로 울음을 운 것은 그때부터였다.

그날 집에 돌아온 나는 학교에서 있었던 일이 마치 무용담이라도 되는 것처럼 엄마에게 말했다.

"엄마, 엄마. 친구들이 연필도 주고 공책도 주고 지우개도 줬어요."

늘 정신 나가 있는 것 같던 엄마는 내 머리를 쓰다듬어 주며 말했다.

"고맙다. 엄마가 못 해준 걸 친구들이 해줬구나."

엄마는 내가 친구 연필을 훔쳐서 이런 것을 받게 되었다는 것을 알 리가 없었다. 내가 말하지 않았기 때문이다. 나는 그저 자랑을 할 뿐이었지만 마음 한구석은 불안했다. 엄마에게 뭔가 솔직하게 말해야 할 것 같았다. 그러나 말하면 또 엄마에게 야단맞는 게 아닌가 하는 생각이 들었다.

그러나 말하는 것이 낫겠다는 생각에 결국 엄마에게 입을 열었다.

"엄마 사실은…….."

"응, 뭔데?"

"나 오, 오늘 우리 반 친구 연필 하나 몰래 후, 훔쳤어."

불호령이 내릴 줄 알았다. 그런데 엄마는 얼굴 표정 변화 하나 없이 나를 바라보았다.

"그랬니?"

화내지 않고 오히려 부드럽게 물어보는 것이 의외였다.

"앞으로는 친구 거 훔치고 그러면 안 돼. 아무리 우리가 없이 살아도 남의 거 훔치면 나쁜 사람이란다. 착하고 정직해야 훌륭한 사람될 수 있어. 알겠지?"

엄마는 따뜻한 훈계를 해주었다. 비로소 마음이 편안해졌다. 마음에 있는 천근만근의 양심의 가책을 내려놓은 것 같았다.

그러나 이내 또 다른 두려움이 나를 감쌌다. 오늘은 첫날이라 아이들이 연필과 노트도 주었지만 내일 되면 또다시 소문이 나서 수군대며 내가 연필과 노트를 훔친 아이라는 사실이 온 학교에 퍼지면 어쩌나 두려웠다. 여기저기에서 아이들이 손가락질하며 킥킥대며 웃을 걸 생각하니 학교 가는 것이 정말 싫었다. 잠도 제대로 자지 못했다. 밤새 뒤척이며 이불을 뒤집어쓰고 두려움에 떨었다.

다음 날 아침 엄마가 해주는 밥을 먹고 보자기에 책과 공책, 그리고 연필과 지우개를 담고 감싸 어깨와 허리로 묶은 뒤 학교로 걸어갔다. 가방이 있을 리 없었다. 천근만근 떨어지지 않는 걸음으로 학교 교실에 가서 눈치를 살폈다. 고개를 푹 숙이고 아이들이 볼까봐 재빨리 자리로 가는데 선생님이 오셨다.

"아이고 우리 예쁜 공주 왔구나!"

내 머리를 쓰다듬어 주며 예쁘다는 것이 아닌가.

"우리 영순이는 훌륭한 사람 될 거야. 선생님은 믿어."

지금 생각해보면 가난하고 자존감이 한없이 낮은 나를 그렇게 북돋아주신 정말 훌륭한 선생님이셨다. 너무 기분이 좋았다. 불행한 어둠의 그늘에서 빠져나와 밝은 빛이 오는 것만 같았다. 불안하고 초조하며 주눅들어 있던 마음이 눈 녹듯이 녹아 없어지고 마음이 편안했다. 친구들도 어제와 다르게 부드러운 눈빛으로 나를 바라봐주었다. 나는 다시금 반성을 했다.

'남의 물건 절대 훔치지 않을 거야.'

그렇게 결심을 하고 선생님이 해주는 이야기와 가르쳐주는 공부를 내 것으로 만들려 애를 썼다.

"얘들아, 공부를 열심히 하면 인생을 바꿀 수 있고 새로운 멋진 일들이 기다리고 있단다. 열심히 공부해야 한단다."

어린 시절의 나는 이 짧은 동화와 같은 이야기에서 향기로운 풀향 냄새를 맡는 것 같은 기운이 감돌았다. 그 편안한 마음이 친구와 선생님을 통해 느껴질 뿐만 아니라 불안하고 두려웠던 마음은 향기로운 풀냄새가 녹여버리는 기억으로 남아 있다.

하지만 현실은 냉혹했다. 내가 학교에 다니는 것이 어찌 보면 사치에 가까웠다. 게다가 엄마는 먹고 살기 위해서 바삐 뛰느라 초등학교 다니는 나에겐 전혀 신경 쓸 수가 없었다. 도시락을 싸오지 못하는 아이들도 많았다. 나 역시 거의 도시락을 가져가 본 적이 없었다. 엄마는 항상 고통에 지쳐 있으니 딸에게 도시락 싸준다는 생각까지는 비집고 들어갈 틈이 없었다. 한 마디로 내가 점심밥을 먹고 안 먹고는 엄마 인생에서 결코 중요한 일이 아니었다. 굶는 것을 밥 먹듯이 했다. 도시락 싸온 친구들을 보면 배가 고파 참을 수가 없이 힘이 들었다. 하지만 선생님의 눈빛을 보며 나는 점심시간이면 교실 밖으로 나가 물을 한바가지 퍼먹으며 물배를 채웠다.

아저씨가 우리 집에 오면 나를 붙잡았다.

"네까짓 년이 학교는 다녀서 뭐해? 빨래나 설거지 배워서 빨리 식모로 가야지."

욕설을 퍼붓고 겁을 주며 학교를 가는 것을 막았다. 나는 그 뒤로도 아저씨만 보면 나까짓 게 학교를 가서 무엇 하나 하는 생각이 들었다. 자신감이 하나도 없었다. 나의 모든 것을 앗아간 어린 시절의 영혼을 피폐시키고 피지 못한 꽃봉오리를 꺾어버린 그 아저씨의 폭언과 폭행은 끊임없이 이어질 것만 같았다. 밝은 미래와 앞날을 향해 나아갈 수 있는 최소한의 희망의 불씨마저도 밟아버리는 아저씨의 잔인한 폭력….

환경이 이렇다보니 의욕도 없고 공부를 열심히 해야 할 이유가 없었다. 그러나 동네의 공부 잘 하는 언니들을 보니 중학교도 가고 중학교를 졸업하면 좋은 회사에 취직한다는 것이 아닌가. 학교 못간 언니들은 부엌데기가 되어 서울에 가서 식모살이나 하는 것이 전부였다. 아직 우리나라가 경제개발이 이루어지지 않던 시절이라 할 일이 없었다. 남자들도 실업자로 놀았고, 여자들도 더더욱 할 일이 없는 시절 나는 결국 중학교를 가서 좋은 직장 가는 것만이 나의 살길이라는 생각을 했다. 공부를 하면 내 인생이 달라질지 모른다는 생각이 들었다.

배운 내용을 복습해 외우기 시작했다. 떨어져 있던 성적을 올리려고 한 글자도 빼지 않겠다는 듯이 외우고 복습했다.

6학년이 된 나는 시험 준비를 잘해서 중학교에 가서는 반드시 우등생이 되겠노라 결심했다. 마지막 졸업을 앞두고 시험을 잘 보기 위해 나는 눈에 불을 켰다. 초등학교 마지막 시험에 최선을 다하고 싶은 마음이었다. 하지만 환경은 나를 도와주지 않았다.

하루는 엄마가 잠시 이웃에 마실을 갔다. 불길한 예감은 언제나 맞는 것 같았다. 인기척이 나더니 그 아저씨가 또 왔다. 내 방문을 활짝 열더니 다짜고짜 고함을 질렀다.

"이년아! 너 같은 년이 무슨 공부를 한다는 거야? 넌 그냥 구걸이나 하며 살면 돼!"

그러더니 방문을 닫고 들어와 바지를 벗기 시작했다. 나에게 해댔던 과거에 그 짐승 같은 짓을 또 하겠다는 거였다. 술 냄새가 온 방안을 가득 채웠다. 다시 당할 수는 없었다. 저항하고 싶었지만 나에겐 힘이 없었다. 방구석에 숨은 나는 덜덜 떨었다.

"이리 와!"

짐승처럼 고함을 지르며 나를 덮치는 아저씨를 밀어버리고 문을 박차고 나갔다. 하지만 이내 마당을 벗어나기 전에 뒷덜미를 잡혔다.

"이년이 감히 도망을 가? 이년! 한번 죽어봐라. 내 덕에 먹고 사는 년이."

주먹이 날아오기 시작했다. 욕설과 폭행을 퍼부으면서 나를 땅바닥에 넘어뜨리고 발로 차고 머리채를 흔들고 닥치는 대로 때리기 시작했다. 온통 눈앞에 별이 번쩍이며 폭행에 나는 정신을 잃어버렸다.

"이게 무슨 짓이에요!"

그때 마침 엄마가 돌아왔다. 그러더니 온몸을 던져 나와 아저씨 사이를 가로 막았다. 그 덕에 폭행을 벗어날 수 있었고 더한 성폭행까지도 피할 수 있었다.

다음날은 시험일이었다. 퉁퉁 부은 얼굴로 학교에 갔지만 시험문제를 풀겠다는 정신이 들지 않았다. 이렇게 인간 이하의 삶을 사는데 무슨 시험이란 말인가. 낮아진 자존감 때문에 나는 책상 위에 얼굴을 묻었다. 공부를 해서 인생을 바꾸겠다는 희망이 사라져버렸다. 자존감이 무너지고 인간 이하가 되는 충격과 아픔이 나를 힘들게 했다. 그 이후로도 계속 이어지는 아저씨의 폭행을 참고 성폭행을 피하며 나는 초등학교를 마치게 된다. 잔인한 초등학교 시절이었다.

새 삶을 향해

초등학교는 그렇게 간신히 그야말로 아무 희망 없이 졸업을 했다. 다음 순서는 중학교였다. 다른 아이들 같으면 더 높은 학교로 올라가서 더 많은 공부를 하고 꿈과 희망에 부푼 생활을 했을 것이다.

하지만 나는 중학교 간다는 것이 거의 불가능한 꿈에 가까웠다. 집에서는 아저씨의 계속적인 폭력과 가난으로 어떠한 꿈도 가질 수 없었다. 당시는 중학교 시험을 보았다. 시험을 보려면 참고서도 있어야 하고 시험공부도 해야 한다. 그러나 우리 집은 그런 것과는 아무 상관이 없었다. 내 삶에서 유일한 희망이 학업이었는데 이어나갈 수 있는 방법이 없었다. 하지만 나는 어떻게

든 중학교는 가고 싶다고 엄마에게 말했다.

"엄마 중학교는 정말 가고 싶어요. 친구들도 다 가고 중학교를 가야 사람 구실을 하잖아요."

엄마는 아무 말이 없었다. 억지로 원서를 사고 시험을 봐서 간신히 중학교에 입학하게 되었다. 내가 들어간 학교는 양평읍내의 양평중학교. 청운면에서 20킬로미터 정도 떨어져 있었다. 아침 일찍 버스를 타야 갈 수 있었다.

그렇지만 중학교에 간다고 나의 가난한 현실이 하루아침에 바뀌는 것은 아니었다. 그저 나의 욕심이었는지도 모른다. 중학교를 입학하고 나자 다른 아이들은 모두 설레는 마음으로 영어공부를 했다. 수학공부를 하고 교복을 사고 새 출발을 향한 가슴 벅찬 준비를 했다. 하지만 나에게는 또 다시 예고된 일처럼 고통이 기다리고 있었다. 주변에서 돈을 조금씩 주어 교복은 간신히 사 입을 수 있었지만 가방을 살 형편은 되지 못했다. 그래서 결국 보자기에 다시 책을 싸고 초등학교 때처럼 학교를 가야 했다. 그래도 견딜 수 있었던 것은 가정형편이 어려운 나 같은 아이들이 많아서 책보에 책을 싸서 메고 오는 아이들이 있었다.

중학생이면 사춘기가 시작될 무렵인데 번듯한 가방에 구두를 신지 못하고 책보에 고무신을 신고 다녀야 한다는 것은 견디기 어려운 모멸감이었다. 자존감이 확 떨어졌다.

그리고 중학교에 가서 보니 철이 들어서인지 빈부의 격차가 느껴지기 시작했다. 도시락을 싸오거나 참고서나 필기도구를 보아도 부잣집 아이들은 윤택했다. 거기에 비하면 나의 모습은 한없이 보잘 것 없고 초라했다. 주눅이 들고 고개를 제대로 들지 못했다. 물론 마음 한쪽에서는 오기가 솟았다.

'중학교까지 왔는데 공부 열심히 해서 인정받으면 되는 거야. 내 인생은 내가 개척할 거야.'

이렇게 결심을 하고 더 어려워지고 많아진 공부를 하려고 애를 썼다. 그러나 중학교 과정은 갑자기 어려워지고 다른 아이들은 과외를 하거나 지도를 받아 성적이 우수한 아이들도 있었지만 그저 학교 수업만 받는 나는 성적이 올라가지 못했다. 의욕은 넘쳤지만 공부를 잘 할 수 있는 방법을 알지 못했던 것이다. 겨우겨우 반에서 중간이나 하는 평범한 아이로 중학교 1학년을 보내고 있었다. 그러다 어느 날 집에 와보니 엄마가 환자처럼 누워만 계셨다.

"엄마 괜찮아요?"

거듭되는 폭력과 가난으로 인한 스트레스로 엄마는 늘 환자나 마찬가지였는데 이렇게 누워서 물도 밥도 목으로 넘기지 못했다. 그렇다고 해서 병원에 가려고 하지도 않았다. 나중에 안 사실이지만 엄마는 이미 자궁암과 위암이 심각한 지경이었다. 자포자기한 인간의 모습이 바로 엄마의 모습이었다. 학교 갔다 올 때면 엄마는 그냥 누워 있기만 하셨다. 그걸 보고 있으면 내 마음은 아팠다.

'우리 엄마는 나 때문에 아픈 거야. 내 공부 뒷바라지하느라고 먹지도 못하고 잠도 못자서 이렇게 아프게 된 거라고.'

하지 않아도 될 자책과 미안함으로 스스로의 상처를 후벼 팠다. 엄마가 앓아누우며 몸이 쇠약해지자 엄마의 육체를 탐하던 아저씨는 더 이상 집으로 오지 않았다. 엄마는 어느 날 나를 불러 말하는 거였다.

"영순아, 엄마는 이제 여기에서 못 살 것 같아. 너를 뒷바라지해줄 수도 없고 몸도 아프고, 언니가 서울에 있으니 언니 집에 가서 좀 있어야겠다."

"엄마, 그러면 나는?"

"너는 학교를 다녀야 되잖니. 금방 데리러 올게. 잠시만 다니고 있어라."

엄마가 나를 데리고 갈 형편이 안 되는 건 누구보다 내가 잘 알았다. 결국 엄마는 아픈 몸을 이끌고 서울로 올라갔다. 고향을 탈출한 것이었다.

나만 남아 혼자 고향을 지켜야 했다. 나는 창고 같은 방이 딸려 있는 동네 가게에 맡겨졌다. 어둑하고 습한 방에 들어가 앉아 있으면 세상이 다 나를 외면하는 것만 같았다. 태어날 때부터 혼자이듯, 고달픈 인생이 나를 기다려 왔듯이 외로움만이 나를 감싸고 있었다. 지긋지긋한 가난과 고달픈 인생은 언제나 나를 괴롭혔고 사랑에 누구보다도 목말라했지만 사랑이라는 단어조차도 떠오르지 않았다. 그나마 학교가 나의 유일한 안식처였는데 엄마는 올라간 뒤 더 이상 등록금을 보내주지 않았다. 학교도 다닐 수 없게 되어버렸다.

"왜? 왜? 나만 이렇게 학교도 못 가야 하는 거야?"

벽을 치며 울었지만 아무 소용없었다. 절망의 구렁텅이가 나를 기다리고 있는 듯했다. 짧았던 중학교 시절은 이렇게 끝이 나고 말았다. 학교를 포기한 것이다. 혼자 창고 같은 방에서 굶기를 밥 먹듯이 했다. 늘 배가 고팠고 늘 엄마가 그리웠다. 눈물로 밤을 지샜다. 학교도 가지 못한 열네 살 소녀의 마음은 점점 더 나락으로 떨어졌다. 그러던 어느 날 동네 이장님을 만나게 되었다.

"영순이 아니니? 이야기 들었다. 어머니가 요양하러 서울에 가셨다고?"

"안녕하세요?"

아빠의 뒤를 이어 이장을 맡은 사람이었다고 엄마가 말해 주었었다. 학교 못 다니는 것을 소문으로 들은 듯했다.

"공부를 마쳐야 되는데. 영순아, 학교 가야 되는데 어쩜 좋으니."

"돈이 없어서 다닐 수가 없어요."

"저런 공부해야 할 땐데? 그러면 공부는 못하니까 취직이라도 해보런?"

"취직이 뭔데요. 아저씨?"

"응. 취직은 돈을 벌고 일을 하는 거야. 그러다 보면 또 여유가 생길 때 공부는 하면 된단다. 지금 공부를 계속할 건지 취직이라도 해서 기술 같은 걸 배울 건지 결정을 해야 돼. 이대로 놀면 안 된단다."

이장님의 말씀이 맞았다. 무엇이라도 해야 했다. 나는 본능적으로 지금이 내 인생의 갈림길이라는 것을 알게 되었다. 하지만 이런 결정을 왜 열 네살 소녀인 내가 해야만 하는지 한스러웠다. 두렵고도 슬펐다. 취직을 하면 과연 무엇을 한단 말인가. '돈을 얼마나 벌어서 어떻게 살아야 되나' 하는 생각이 꼬리에 꼬리를 물었다.

'엄마랑 같이 있지도 않고 내가 공부해서 무엇 하겠어. 공부는 포기하는 게 맞을 거야. 학교 가고 싶은데…. 친구들도 보고 싶고 선생님도 그리운데 열심히 공부하고 싶었는데, 이 세상에 쓸모 있는 사람이 되고 싶었는데, 왜 나만 이런 거야. 다른 친구들은 학교에서 열심히 공부하는데 이게 뭐야. 왜 나 같은 게 이 세상에 태어난 거야. 왜? 왜?'

벽에다 머리를 박아 보았다. 그러나 벽은 요지부동 내 머리만 아팠다. 죽고 싶을 정도로 힘이 들었다.

엄마 생각만 하면 가슴이 미어질 것만 같았고 가슴이 터질 것 같았다. 이대로 잠에서 깨어나지 않았으면 좋겠다는 생각을 했다. 그때 밖에서 소리가 들렸다. 이장아저씨였다.

"영순아, 집에 있니?"

아저씨의 말을 듣고 대답을 하려고 했지만 목에서 소리가 나오지 않았다. 너무나 힘이 들었던 것이다. 아저씨는 헛기침을 해보며 문을 열었다.

"영순아, 아니 왜 그러냐?"

방바닥에 누워 비척거리는 나를 보자 아저씨는 들어와 손을 잡고 일으켜 세워 주었지만 꼼짝을 할 수가 없었다.

"아저씨 물 좀 주세요."

"어, 그래."

아저씨는 황급히 물을 떠다 내 입에 대주었다. 물을 좀 마시니 정신이 돌아왔다. 간신히 방바닥에 앉아있으니 아저씨가 말했다.

"부모 잘못만나 고생하니까 정말 내 마음이 아프구나. 혼자서 이게 뭐냐? 어린 것이 죽도 못 얻어먹고."

아저씨는 정말 착한 분이었다.

"안되겠다. 우리 집으로 가자. 우리 집에 가서 뭐라도 좀 먹어야겠다."

그러나 나는 아무것도 먹고 싶지 않았다. 이대로 죽었으면 좋겠다는 생각뿐이었다. 벽에 기대어 앉은 채 눈에서는 뜨거운 눈물만 흘렀다. 아저씨는 그런 나를 보고 마음을 추스려주려고 좋은 말을 해주었다.

"영순아, 네가 이렇게 힘들어도 여기에서 포기하면 안 된다. 사람은 힘들 때가 있으면 반드시 좋을 때가 있단다. 고생 끝에 낙이 온다는 말이 있잖니. 어릴 때 고생은 사서도 하는 법이다. 용기를 내야 한다."

그러나 그런 말이 나에겐 와 닿지 않았다. 고통이 너무나 컸기 때문이다. 나는 그저 죽었으면 좋았겠다는 생각뿐이었다. 이대로 죽었으면 좋겠다는 생각을 하고 있자 아저씨는 나를 다시 격려했다.

"영순아, 너는 훌륭한 사람이 될 수 있어. 자고로 훌륭한 사람은 큰 고통을 겪는 법이다. 건강해야 된단다."

그 위로에 나는 뜨거운 눈물을 흘렸다. 마음에 위안이 된 것이다. 하염없이 울었다.

"영순아, 우리 집에 가자. 내가 너 일자리 알아봐주마. 그러니 포기하지 마라. 서울에 가서 일도 하고 엄마도 만나야지."

다시 나는 아저씨의 격려 덕에 몸을 추스렸다. 새 삶을 향해 바닥에서 치고 올라올 기운을 간신히 갖게 된 것이다.

첫 월급

이장님이 소개한 곳은 서울 중앙청의 사동(使童) 자리였다. 옛날에는 회사나 관공서에서 팩스나 이메일을 쓰지 않았기 때문에 문서 같은 것을 수시로 심부름하고 전달해야 할 심부름꾼이 필요했다. 사동 혹은 사환이라고 불렀다. 나는 그렇게 사동이 된 것이다. 서울에 갈 수 있게 되었다.

그러나 거처가 문제였다. 엄마와 함께 살 수는 없었다. 언니는 서울 종로 5가의 할머니 친정 오빠의 아들 집에서 공부를 시켜 주겠다고 해서 집안일을 하면서 학교를 좀 다니다 동구여상 옆에서 방을 얻어 둘째 언니와 함께 살고 있었다. 보따리 장사도 하고, 옷가게 점원으로도 일했다. 거기에 엄마는 동대문의 시립

병원에서 치료받다가 언니들과 용두동 달동네에서 살았다. 큰언니에게 배움의 기회를 주지 못한 미안함 때문인지 엄마는 언니집에서 눈칫밥을 먹고 있었다. 나까지 거기에 가서 발을 들일 수는 없었다.

직장은 구했는데 마땅히 살 곳이 없어서 이장아저씨가 서울에 있는 지인을 소개해주셨다. 음료수 만드는 공장의 사장님 댁에서 머무르며 집안일도 해주고 아이들 공부도 봐주기로 한 거였다. 그렇게 해서 나는 중앙청에서 가까운 동네에 살고 계신 사장님의 집으로 가서 인사를 하고 문간방에서 살게 되었다.

의외로 그 사장님은 인격이 좋은 분이었고, 단란한 가정이었다. 청소와 심부름을 퇴근 후에 해주면 되는데 사장님네 식구들은 나를 인정해주고 사랑해주었다. 아마도 낮에 열심히 일하고 밤에도 성실히 자신들의 일을 도와주는 것이 고마운 듯했다. 인정받았기 때문인지 나는 더욱 열심히 집안일을 하고 성실한 모습을 보여주었다.

어두웠던 내 모습이 조금씩 밝아졌고 무엇을 하든지 용기가 생기고 잘할 수 있을 것 같다는 자신감이 부쩍 늘었다. 같이 지내면서 보니 정말 이상적인 가정이 바로 이런 것이구나 싶었다. 우리 집과 비교한다면 하늘과 땅 차이였다. 우리 집을 생각하면 가슴이 시리고 아팠다. 잘 때는 악몽도 꾸었다. 어린 시절 힘든 고통을 겪었기에 이런 행복한 가정에서 지낸다는 것 자체가 나에게 큰 용기가 되었고 내 삶을 포기하지 않고 버틸 수 있는 힘이 되었다.

'그래. 내가 돈 벌어서 엄마를 꼭 병원에 모시고 가서 병을 고쳐줘야 되겠어.'

이곳에서 잘 버티고 최선을 다하기만 하면 나는 새로운 삶을 적응하며 성공을 향해 나아갈 수 있을 것 같았다. 빨리 월급을 받아서 엄마에게 갖다 주는 것이 나의 목적이었다. 엄마가 정말 시도 때도 없이 보고 싶었다.

그렇게 한 달간 중앙청에서 사환노릇을 하고나자 마침내 고생 끝에 낙이 온다고 월급을 받아 쥐게 되었다. 태어나서 처음으로 월급을 받은 것이다. 월급을 받자마자 나는 제일 먼저 언니가 있는 곳으로 달려갔다. 엄마와 언니가 있는 단칸방에 들이닥쳐 나는 엄마를 불렀다. 그 순간 엄마의 얼굴이 너무 말라 있고 초췌해진 것을 보자 가슴이 아팠다.

"엄마! 왜 이렇게 됐어? 왜 이렇게 아픈 거야?"

병자였던 엄마도 나를 끌어안고 펑펑 울었다.

"착한 내 딸. 불쌍한 내 딸아. 애미가 이렇게 병들어 있으니 공부도 못하고 일이나 하게 해서 미안하다. 배워야 하는데 배우지도 못하고 네 앞길을 망쳐 놓은 엄마를 용서해라. 용서해라."

잘못한 것도 없이 사죄하는 엄마를 보자 속이 상했다.

"아니야, 엄마. 괜찮아. 나 돈 벌어서 공부하면 돼."

그렇게 엄마를 위로한 뒤 나는 그간의 소식을 전하고 월급봉투를 내밀었다. 얼마 되지 않았지만 그래도 내가 돈벌이를 한다는 사실이 너무나 뿌듯했다.

"엄마, 이거 가지고 당장 병원에 가."

형편이 좋지 않은 엄마는 마지못해 주는 돈을 받았다.

"고맙다. 미안하다. 미안해."

자신의 모습을 한탄하며 내내 울기만 했다. 그렇게 나는 엄마와 언니를 끌어안고 엉엉 울면서 오랜만에 눈물의 재회를 하게 되었다.

그렇게 집으로 돌아오니 가슴은 조금 막힌 것이 뚫렸지만 이제는 하지 못했던 공부와 보고 싶은 선생님과 친구들 때문에 속이 상하기 시작했다. 그렇게 울고 있자 사장 딸이 물었다.

"언니, 왜 그렇게 울어요?"

사장의 딸이 손수건으로 내 눈물을 닦아주었다. 나와 피 한 방울 안 섞였는데 나를 위로해주는 것을 보며 나는 생각했다. 어린 마음이 너무나 예뻐 나는 꼭 끌어 안아주었다.

"고마워. 언니가 더 잘해줄게."

그 뒤로 나는 아이에게 공부를 봐주면서도 잘 보이고 싶은 마음에 더 잘 가르치고 싶었다.

직장에서 열심히 일하는 내 모습을 보고 어떤 아저씨가 말했다.

"네가 그렇게 일을 잘 한다면서? 그렇게 열심히 하는데 공부는 얼마나 잘 하겠니? 다시 한 번 공부하고 싶은 생각은 없니?"

꿈에서도 듣고 싶은 이야기였다. 공부라는 말을 듣는 순간 심장이 멎을 것 같았다. 너무나 하고 싶은 공부였다. 그렇지만 지금 내가 공부를 한다면 다시 돈은 못 번다. 엄마에게 생활비를 계속 보내줘야 하는데…. 나는 별생각 없이 아저씨에게 나의 현실을 생각하며 우울한 얼굴로 말했다.

"말씀은 감사하지만 우리 엄마가 병에 걸려서 저는 돈을 벌어야 해요."

"그렇구나! 그럼 할 수 없지."

그렇게 대답한 것이 후회되었지만 그 당시에 나는 그런 대답밖에 할 수가 없었다. 어린 나이에 엄마를 부양해야 한다는 무거운 짐이 어깨를 짓누르고 있었기 때문이다.

현실은 더욱더 우울해졌다. 공부도 할 수 있다는 제안이 들어왔는데 받아들이지 못했으니 짜증이 나고 화가 났다. 공부 못하는 것도 억울했는데 중앙청에서 사환노릇이나 하고 있고, 집에서도 허드렛일 식모살이를 하는 것이 너무 처량했다. 그 뒤로는 더욱더 분노가 쌓여만 갔다. 매일 화를 누르며 지내는 삶이었다. 그렇게 반복되는 나날이었는데 어느 날 사장님은 우울한 내 얼굴을 보고 걱정이 되었는지 다정하게 물었다.

"우리 딸. 뭐 먹고 싶은 거 있니?"

다정하게 물어주었는데 순간 나는 그 다정한 이야기가 억누르고 있던 나의 마음을 건드리고 말았다. 마치 화가 난 것처럼 대답했다.

"아니요! 아무것도 먹고 싶지 않아요!"

퉁명스럽고 차가운 태도였다. 그 순간 사장님은 머쓱해지셨다. 딸처럼 생각하며 먹고 싶은 거라도 사주면서 기분을 풀어주려 했는데 냉혹하게 사람을 무안하게 만든 것이다.

"그래 미안하다."

사장님은 자리를 박차고 일어나 방으로 들어가셨다. 그날 이후 집안 분위기는 냉랭해졌다. 사장님은 나를 볼 때마다 깎듯이 거리를 뗐다.

"권선생, 식사해요."

"가정교사 선생님 식사하시라 그래라."

사장님은 나에 대한 온정과 사랑과 따뜻한 마음을 일순간 접어버렸다. 내가 왜 그랬는지 나는 그때 알 수 없었다. 후회도 됐다. 하지만 지금 생각해보니 따뜻함이나 사랑과 배려를 받아본 적이 없었기 때문에 내 마음 안에는 항상 상처가 있었다. 늘 가시에 찔리고 있으니 다정한 사람의 친절한 말투를 받아들일 마음의 여유가 없었다. 언제고 그 사장님의 따뜻함은 날카로움으로 변하고 주먹을 휘두르는 폭력으로 변할지 모른다는 우려가 무의식에 자리 잡고 있었던 것이 아닌가 싶다. 그래서 나는 안락한 가정에서의 생활을 접어야겠다는 생각을 하기 시작했다. 좋은 일은 결코 오래가지 않는 법이었다.

사랑 안에 두려움이 없고 온전한 사랑이 두려움을 내쫓나니
두려움에는 형벌이 있음이라 두려워하는 자는 사랑 안에서
온전히 이루지 못하였느니라 (요한1서 4:18)

이발소 생활

●

    중앙청에서 사환으로 근무하고 받는 월급은 정말 보잘 것 없었다. 엄마의 병을 고쳐주거나 살림을 피게 하는 데는 턱없이 부족했다. 그러면 집에 와서라도 잘했어야 하는데 나의 어리석은 실수로 집안 분위기는 너무나 냉랭했다. 사장님은 차갑게 대했고 나는 바늘방석에 앉아있는 것만 같았다. 중앙청에 가도 힘들고 집에 와도 불안한 마음의 상태는 판단력이 없는 나를 한없이 구렁텅이로 몰았다. 모든 것을 포기하고만 싶었다. 지금 생각해 보면 뱃속에 있는 태아였을 때부터 엄마로부터 전해져 내려온 우울함이 나를 옭죄고 있었던 것이다. 내 안에서 늘 숨어 있으면서 틈만 나면 나를 공격했다. 반복되는 우울한 감정들이었다.

                                           1부. 버려진 전쟁 고아

그러던 어느 날 나는 동네의 이발소 앞을 지나가게 되었다. 문틈으로 들여다본 이발소 안에는 하얀 가운을 입은 내 또래의 여자아이가 이발 손님을 눕혀놓고 조그마한 면도칼로 수염을 깎고 있었다. 흰 거품을 낸 얼굴을 면도칼로 밀자 갑자기 수염이 없어진 잘생긴 얼굴의 남자로 만드는 것이 아닌가. 하얀 옷을 입은 천사와 같았다. 어찌 보면 의사나 간호사 같고 약사 같기도 했다. 나도 모르게 흰 옷에 대한 선망 때문에 그 자리에 내가 있고 싶다는 생각이 들었다.

'아, 나도 저런 일을 하고 싶다. 이발소에서 일할 수 있다면 얼마나 좋을까.'

저 이발소에서 먹고 재워주기만 한다면 저런 일을 하고 싶다는 생각이 들었다. 그 앞에서 기웃거릴 때 갑자기 이발소 주인이 나오다 나를 발견했다.

"웬 여자애가 앞에서 얼쩡대냐! 어서 가라!"

기분 나쁜 목소리로 나를 손짓으로 밀어냈다. 그 순간 얼마나 무섭던지 나는 허둥지둥 도망쳐왔다. 어른들만 보면 두려움이 앞섰기 때문이다. 그렇지만 시간이 지날수록 그 하얀 가운을 입고 흰 비누거품으로 면도를 해주며 못생긴 남자도 잘생기고 깔끔하게 보이도록 해주는 그 일이 내가 해야 할 일인 것만 같았다. 눈에서 지워지지 않는 그 모습이 그리워 나도 모르게 이발소 앞으로 다시 갔다. 이발소 앞에서 서성대자 아저씨는 또다시 문는 것이다.

"야! 너 또 여기 왜 왔니? 어서 가! 재수 없게. 이상한 계집애 네. 남의 집 앞에서 왜 얼쩡거려?"

또 쫓겨 가면 이발소에서 일하기 어려울 것 같았다. 용기를 냈다.

"아, 아저씨. 저도 여기서 저 아이처럼 일하고 싶어서 그래요."

그 순간 아저씨는 눈을 동그랗게 뜨고 급히 화색이 도는 얼굴 로 말했다.

"아 그래? 그럼 진작 말하지 그랬니. 나는 그것도 모르고 소리 질렀네. 미안하다. 이리 들어와라."

나는 이발소 안으로 들어갔다. 소독약과 비누냄새가 가득해서 기분이 좋아지는 것 같았다. 이곳에서 일하면 온갖 더럽고 지저 분한 것들은 다 씻겨져 내려갈 것만 같았다.

"내일부터 너 당장 우리 집에 와서 일해도 돼."

"저 먹고 자게 해줄 수만 있다면 무엇이든 할게요."

"그래, 그럼 우리 집에서 먹고 자면 된다. 월급도 조금 줄게."

"고맙습니다. 고맙습니다."

나는 고개를 숙여 연신 인사를 했다. 그러나 이 선택이 나에게 또 다른 상처와 불행의 씨앗이 될 줄은 꿈에도 몰랐다.

"저 새로 일자리 얻어서 더 이상 못 있게 되었어요."

다른 때 같았으면 어디 일자리냐고 물어보거나 이발소에 간다고 했으면 말렸을 텐데 이미 분위기가 냉랭해진 사장님은 그러라고 했다. 그렇게 해서 다정하게 나를 대해주던 보금자리를 박차고 험한 광야로 나왔다. 철없는 선택이었다. 이 작은 선택으로 수없이 많은 고통과 불행이 시작될 줄은 꿈에도 몰랐다. 그저 가슴 설레어 이발소로 향했다. 중앙청에서 일하던 것도, 그리고 가정교사로 머물던 그 행복을 다 포기하고 오로지 하얀 가운만 입으면 내 삶이 하얘지고 깨끗해질 거라는 설렘으로 이발소를 향해 발걸음을 옮긴 것이다.

이발소에서 내가 하는 일은 청소와 수건 빨래, 그리고 면도, 머리를 감겨주는 일 등등이었다. 이발소 아저씨에게서 열심히 면도하는 방법을 배웠다. 비누거품을 부드럽게 해서 바른 뒤 조심스럽게 수염의 역방향으로 잘라나가야 깊이 잘 깎인다는 것이었다. 제대로 배웠다면 풍선 같은 것에 면도칼을 대보면서 연습을 해야 했지만 나는 바로 실전에 돌입했다. 그러나 사람마다 얼굴이 다르고 수염마다 상태가 다른데 그것을 깎는다는 일은 생각보다 쉽지 않았다. 더 깎은 부분이 있어서 야단을 맞기도 하고 깊이 깎지 않아 주인에게 손님들이 항의하는 일도 벌어졌다. 처음에 친절하던 주인도 점점 이런 일이 벌어지자 나에게 화를 냈다.

"너는 도대체 할 줄 아는 게 뭐냐? 면도 하나를 제대로 못해? 그러면서 배우러왔단 말이야?"

주인아저씨의 분노를 볼 때마다 나는 와들와들 떨었다. 의붓아버지의 모습이 떠올라 툭하면 눈물이 나고 공포에 질려 울었다.

"왜 찔찔 짜는 거냐? 야단을 맞으면 더 열심히 하려고 하는 생각은 안 하고."

야단을 맞고 나면 온몸에 힘이 풀려 면도날을 잡을 힘도 없었다. 그러다보니 잘 한다 잘 한다 해야 용기가 나는데 못 한다는 소리만 들으니 실력이 늘 리 없었다. 두려움과 공포로 면도칼을 잡는 게 겁이 났다. 결국 그러다 손님 한분의 얼굴에 큰 상처를 내고 말았다.

"아!"

눈감고 면도를 받던 손님이 거울을 보더니 피가 나오자 내 뺨을 냅다 후려갈겼다.

"재수 없는 년이 남의 얼굴에 상처를 내? 이 이발소 주인 어디 있어? 주인 나와!"

주인아저씨는 허리를 구부리며 연신 사과했다.

"아이구 죄송합니다. 죄송합니다. 아이구, 이 반창고 바르세요."

면도하다 난 상처는 대개 그때는 신문지 같은 걸 조각을 오려서 붙여주곤 했다. 그러면 신문지가 붙어서 지혈을 해주곤 했기 때문이다. 그러나 손님에게 거센 항의를 받고 이발 비용도 받지 못하고 보내고 나자 그 불똥은 나에게 떨어졌다. 나는 와들와들 구석에서 떨고 있었다. 손님이 나가자 내 예상대로였다.

"똑바로 못해? 이 미친년. 먹여주고 입혀주면 감지덕지하고 최선을 다해서 일을 했어야 하는 거 아냐? 죽어버려. 일도 제대로 못하는 것."

나를 때리기 시작했다. 아저씨는 그 뒤로 폭력이 더욱 심해졌다. 월급도 조금 준다더니 그 약속은 어디 갔는지 알 수 없고 나를 종 부리듯 부려먹으며 툭 하면 폭력과 폭행을 일삼았다. 하루는 구두를 신다가 벗어서 나에게 말하는 거였다.

"야, 물 떠다. 내 발 씻겨."

숨이 막힐 것 같았다. 아저씨의 몸을 만지라니 나는 몸이 움직이지 않았던 것이다. 벌벌 떨고만 있었다. 그러자 아저씨는 구두를 벗은 맨발로 내 발을 걷어차며 말했다.

"재수 없는 년이 말을 더럽게 안 들어. 밥 먹여주고 재워줬더니 이게 분수를 모르네." 아저씨는 또 한번 내배를 걷어차 버렸고 그 바람에 그대로 뒤로 나가떨어졌다. 넘어져 있는 나에게 냄새나는 발을 내 코에 대며 말했다.

"냄새 좋지? 좋은 냄새 나지? 너 같은 년은 손님 얼굴이나 베어놓고 밥 먹을 자격이 없어. 발 냄새나 맡으라고."

그 치욕스러운 냄새를 맡으며 한없이 눈물을 흘렸고 나는 주눅이 든 채 모기 같은 소리로 애원했다.

"아저씨, 제발 이러지 마세요. 잘 할게요. 용서해주세요. 아저씨."

"그러니까 이년아, 물 떠놓고 발 씻기라면 빨리빨리 씻어줬어야지. 말을 잘 들었으면 내가 이러지 안잖아."

이런 식으로 주인의 구박은 날로 더해졌다. 그로 인해 나의 마음은 한없이 찢어질 대로 찢어졌다. 그러면서도 불길한 예감이 들었다. 어른들의 폭력성이 나는 항상 두려웠기 때문이다.

그러던 어느 날 주인은 평소보다 밖에서 술을 더 많이 먹고 이발소 옆의 문간방 앞에 섰다. 문을 벌컥 여는데 유난히 술 냄새가 괴로운 나는 주인에게서 풍기는 술 냄새에서 예전 의붓아버지가 떠올랐다. 부들부들 떨고 있는데 희번득한 눈빛으로 갑자기 나를 방으로 끌고 들어가는 거였다.

"아저씨! 왜 이러세요? 이러지 마세요! 이러지 마세요!"

발버둥 치며 저항했지만 소용없었다. 결국 나는 주인아저씨에게 치욕스러운 짓을 당하고 말았다. 몸이 작은 나는 소리도 지르고 울고불고 난리를 쳤지만 턱없이 부족했다. 그는 자신의 욕망을 채우기에 바빴고 나는 순간 정신을 잃어버리고 말았다.

눈을 떠보니 아저씨는 이미 사라졌고 의붓아버지의 그 더럽고 생각하기도 싫은 기억이 나를 붙잡고 놔주지 않았다. 내 운명은 왜 이 모양인지 알 수 없었다. 현실은 너무나 비참하고 수치스러워 말로 표현할 수 없었다. 무섭고도 슬프고 괴로운 내 인생이었다. 죽지도 못하고 살아서 이렇게 힘든 일을 겪어야만 했던 나의 십대 시절은 너무나도 끔찍하고 기억하기도 힘든 시절이다. 따뜻하게 대해주던 사장님 집으로 돌아갈 수만 있다면 수도

없이 후회했지만 벼룩도 낯짝이 있다고 나와버린 집에 다시 갈
수는 없었다.

　매일 밤 눈물로 지새우며 울며 그렇게 나는 이발소에서 생계
를 유지해야만 했다. 꿈과 희망에 부풀어야 할 청소년기를 나는
두려움과 폭력으로 얼룩진 채 보내야 했다. 하얀 가운은 더 이상
하얀 가운이 아니었다. 피와 눈물 그리고 한숨으로 얼룩진 내 젊
음의 어두운 상징이 되고 말았다.

　어찌하여 고난당하는 자에게 빛을 주셨으며
　마음이 아픈 자에게 생명을 주셨는고 (욥 3:20)

고달픈 결혼생활

●

    나의 청춘시절은 그렇게 이발소에서 먹고 살기 위해 폭력과 갖은 천대를 이겨내며 흘러가고 있었다. 또 다시 이발소를 나와 장갑 짜는 공장이며 여기 저기 떠돌이 생활을 이어나갔다. 한번은 어떤 남자로부터 감금을 당해서 죽음의 공포까지 느꼈던 적도 있었다. 너무나도 기억하고 싶지 않은 스물한 살까지의 아픔들이다.

    그러다 평범하게 생긴 괜찮은 남자를 한명 만나게 되었다. 그 남자는 내가 일하는 걸 지켜보았다며 구애를 했다. 아직 스물한 살밖에 안된 앳된 나를 보고 자신의 여자로 생각을 한 것 같았다.

    엄마와 언니는 반대했다. 돈 한 푼도 없는 빈털터리인데 어떻게 그런 남자에게 시집을 가느냐는 거였다. 그러나 나는 그 당시 빨리 시집가서 가정을 이루는 것이 엄마와 언니에게 짐도 되지 않고 내 삶에 돌파구가 될 것만 같았다. 누군가에게 의지하는 삶을 살 수 있다는 것만으로도 가슴이 설레었다. 그리고 사장님 집에서와 같은 단란한 가정을 꾸리는 것이 나의 꿈이기도 했다. 그러나 그것이 인생의 또 다른 비극이 될 줄은 전혀 생각도 못했다.

결국 남편과 나는 동거를 시작했다. 누군가와 함께 같은 공간에서 살게 된다는 건 새로운 경험이었다. 달콤한 신혼생활을 꿈꿨지만 이내 우리 둘의 차이는 문제로 발전하기 시작했다. 어려서부터 다양한 경험을 하지 못하고 가난한 삶을 살았던 나는 그래서인지 처음 보거나 낯선 음식은 잘 먹지 못했다. 그러다보니 명절이라든가 챙겨야 할 날 시댁에 가서 함께 음식을 먹다 보면 나는 손도 대기 싫은 음식들이 많았다.

특히 비린내 나는 음식을 전혀 먹지 못했다. 냄새가 역겨웠기 때문이다. 그렇다고 억지로 먹을 수는 없었다. 그런데다 남편은 술과 담배를 즐겼다. 나는 처음에 그게 호탕함인 줄 알았다. 그리고 남자들은 의례히 술을 먹고 담배를 피우는 것으로 여겼다. 그러나 나의 결혼생활은 술과의 전쟁의 연속이었다. 술이 거나해서 집에 들어오면 단칸방에서 술 냄새와 담배 냄새가 나의 후각을 자극했다.

"이리 와."

간혹 남편은 나를 끌어당기려 했지만 나는 그 냄새 때문에 도저히 곁에 가기가 힘이 들었다. 술이 취하지 않았을 때에는 자상하고 가정을 잘 꾸리겠다는 생각을 가진 사람이었지만 술만 취하면 그 폭력성이 조금씩 드러나고 있었다. 술에 취해 기분 좋게 나를 끌어안으려는 남편을 나는 거부하곤 했다. 어렸을 때 술 냄새와 함께 나에게 가해지던 수많은 폭력이 떠올랐다. 그런 남편에게 나는 의지할 수가 없었다. 그러자 이내 남편은 욕을 하기 시작했고 서서히 손찌검을 시작했다. 어느 날 술에 취해 나를 덮친 남편을 나는 온몸으로 저항했다. 그러자 남편은 버럭 화를 냈다.

"부부라면서 왜 이 모양이야!"

그러면서 나를 때리기 시작했다. 물건을 마구 집어던지며 나를 함부로 대하는 거였다. 예전에 엄마가 매를 맞듯 나도 맞은 것이다. 폭력이 계속되자 남편은 점점 나를 함부로 대했다. 나를 함부로 때려도 되는 여자로 여기기 시작한 것이다.

시간이 지날수록 억울하고 분해서 잠을 이룰 수가 없었다. 엄마와 언니의 반대를 무릅쓰고 이렇게 고집을 피우며 동거를 시작했는데 매를 맞거나 욕을 먹는다는 사실을 말할 수도 없었다. 남편을 버리고 새 삶을 살까 궁리를 해보지 않은 것도 아니다.

그렇게 폭력에 시달리며 밥도 먹지 못하고 굶은 다음 날 아침에는 너무 허기가 져서 아무거라도 먹으려고 밥을 했는데 밥에서 나오는 음식냄새가 역겹기 짝이 없었다.

"욱!"

구역질이 올라오는 거였다. 왜 그러는지 궁금해 동네 아주머니에게 물어봤다.

"아주머니, 아무것도 먹을 수가 없어요. 속에서 미식거리고 구역질만 올라와요."

"아니 새댁. 임신한 거 아니야?"

그 순간 나는 망치로 머리를 한 대 맞은 것 같았다.

"이, 임신이요?"

"그래 임신해서 헛구역질하는 건지도 몰라. 병원에 가봐."

사랑도 없는데 살기 위해 결혼했는데 애까지 들어서다니…. 받아들이기 힘들었지만 임신이 맞았다. 임신 사실을 확인한 뒤 나는 조심스럽게 그날 저녁에 들어온 남편에게 말했다.

"저기……."

"뭐야? 말해봐."

"저 임신한 것 같아요."

"어, 그래?"

남편은 갑자기 눈이 부드러워지며 나를 끌어안았다.

"아이고 당신 애썼어. 애썼어."

기분 좋다며 나를 안아주었지만 나는 이 현실을 회피하고만 싶었다. 며칠 잘해주더니 남편의 술버릇과 폭력은 다시 이어졌다. 배가 점점 불러온다는 것 빼고는 내 삶은 별로 변한 게 없었다. 남편은 매일 술에 취해 툭하면 소리를 질렀고 욕설과 폭행으로 나에게 공포감을 조성했다. 병원도 자주 가야 했지만 가난하기에 돈도 한 푼 없어 병원조차 갈 수가 없었다.

게다가 나는 입덧이 무척 심한 여자였다. 어떻게 살아 있는지 모를 정도로 아무것도 먹지 않았는데 하루하루를 넘겼고 배가 불러왔다. 내가 엄마의 뱃속에 있을 때 그렇게 엄마가 매를 맞으며 살았다는데 그렇게 해서 내가 인생이 꼬였다는데 그런데도 내 뱃속에 있는 아이에게 내가 사랑을 줄 수가 없었다. 내 아이가 한없이 불쌍하고 엄마로서 미안했다. 착하고 눈에 넣어도 아프지 않을 딸에게 나는 우울함과 불안함을 선물한 것이다. 이 딸에게 쌓여 있는 아픔과 고통은 훗날 나에게 큰 아픔과 상처가 되었지만 이것이 반전하여 훗날 나에게는 은총이 되었다.

남편에게는 형제들이 많았다. 나를 소개해준 시아주버니는 이발소를 하는 사람이었다. 형님이기에 이발소에서 시어머니를 모시고 살았다. 그런데 하루는 이발소에 불이 났고 그 충격으로 시어머니는 치매에 걸리게 되었다. 술로 살다 가신 시아버지로 인해 고생만 했고 돈 없이 간신히 이발소로 먹고 살았는데 불이

나 생계수단이 없어져버리자 충격으로 치매가 온 거였다. 그 어머니를 모셔야 하는 손윗동서가 하루는 나를 찾아왔다.

"동서, 할 말 있어."

"무슨 말씀이요?"

"아니, 같은 자식인데 우리 먹고살기도 힘든데 시어머니를 나만 모시란 법이 있나. 자네도 좀 모셔보게."

그러더니 함께 온 시어머니를 놓고 줄행랑을 쳐버리는 것이었다. 가뜩이나 비좁은 단칸방에 어머니까지 모신 채로 남편은 밤이면 들어와 술 먹고 와서 구박을 하고 폭력을 행사했다. 그 와중에 큰딸을 낳은 것이다. 처음으로 엄마가 되어 딸을 마주하고 그 눈동자를 바라보니 내 안에 숨어 있던 모성본능이 살아나기 시작했다. 내가 왜 살아야 하는지 이 고통과 어려움을 왜 이겨내야 하는지에 대해서 딸은 답을 주었다. 바로 우리 딸 때문에 살아야 하는 거였다.

시어머니와 같이 있을 때는 늘 감시하고 쳐다보니 치매가 중증인 시어머니를 돌볼 수 있었다. 그러나 같이 있지 않을 때 문제가 발생하곤 했다. 하루는 문을 잠가놓고 딸아이를 업고 밖에 나가 장을 보고 돌아왔다. 그런데 방문을 열자 온통 벽에 똥칠이 되어 있었다. 그 순간 나는 아이를 업은 채로 바닥에 주저앉았다. 가뜩이나 후각이 예민하고 비위가 약한 나인데 온 집안 살림에 똥칠해 놓은 것을 보니 견딜 수 없었다.

"어머니, 왜 이러세요? 어머니."

애기 업은 채로 물을 데워 어머니를 씻기고 방에 있는 모든 똥을 닦아내야만 했다. 구역질을 참으며 다 치운 후에 주전자에 있는 물로 배고파 하는 아이에게 먹이려고 밥을 말았다. 그 순간 밥에서 지린내가 났다. 주전자를 열어보니 어머니가 주전자에 오줌을 싸놓았던 것이다. 요강으로 알고 주전자에 오줌을 싼 거였다. 그 순간 참았던 울분이 터져 나왔다.

"어머니, 왜 주전자에 오줌을 싸셨어요? 이게 뭐에요. 이게 뭐 냐고요? 엉엉엉엉!"

나도 모르게 울부짖고 말았다. 힘들게 똥을 닦고 밥을 먹으려 는데 주전자에 오줌까지 싸놓은 것을 나는 몰랐던 것이다. 그때 마침 방문을 벌컥 열고 남편이 들여다보더니 앞뒤 상황은 알지 못한 채 소리를 질렀다.

"이년이 오줌물이면 어때? 처먹어. 오줌물도 아깝다. 이년아! 재수 없는 년 같으니라고. 널 만나서 내 인생도 이렇게 꼬이는 거야. 이발하는 것도 지긋지긋하고 사는 것도 다 지긋지긋해. 이 년아! 살기도 싫어, 이 년아."

그러면서 밥상을 엎으며 무섭게 소리를 질렀다. 그저 참고 억 눌렀던 마음을 술로 풀고 누군가에게 해소해야만 하는 것이었다.

어린 딸은 무서워서 한쪽 구석에서 엉엉 울었다. 집안이 온통 난장판이 된 것이다. 나는 생각했다.

'왜 내 인생은 이렇게 힘들까. 왜 이렇게 복이 없는 걸까. 어렸을 때부터 함부로 대하는 사람 투성이더니 시집을 와서도 함부로 대하는 남편과 시댁식구들 틈에서 내가 어떻게 살아야 할지 모르겠어.'

차라리 죽고 싶다는 생각이 들었다. 나는 그저 매일매일 견뎌내고 버텨내는 삶을 살뿐이었다.

죽음이 임박했다고 생각하며 절박하게 죽음만을 생각하던 순간, 죽으라는 법은 없는 것 같았다. 압력밥솥이 터지기 직전에 김이 빠지듯 어느 날 남편이 돌아와 말하는 거였다.

"여보. 이대로는 안 되겠어. 이발소는 때려치우고 포항에 누님이 사시는데 거기에 일자리가 있대. 포항제철도 있고 일자리가 많은 모양이라 그리로 가야겠어."

"그럼 우리는요?"

"돈 벌 동안 당분간 여기서 살아. 돈은 벌어서 보내줄 테니."

남편의 선언은 정상적인 부부라면 떨어져 살아야 하는 힘든 상황이었지만 나에게는 갈증을 풀어줄 정도의 시원한 소식이었다. 마침내 남편은 포항으로 떠났다. 물론 나에게는 젖먹이 아이와 치매에 걸려 똥칠하는 시어머니가 있었다. 그러나 매일 폭력을 행사하던 남편이 없어진 것만으로 살 것 같았다. 힘든 시간을 견딜 수 있을 것 같았다. 사랑하는 딸을 보살피고 시어머니 한 사람만 내가 챙기면 되는 일이었다. 그렇게 하루하루를 버티는데 갑자기 배가 아프고 구역질이 났다. 그걸 보자 주인집 아줌마가 말하는 거였다.

"새댁, 애기 또 들어섰구먼."

"네? 또 임신이라고요?"

내가 봐도 임신이 맞는 것 같았다.

"맞아. 임신이야. 그런데 어쩌누? 남편도 없고 없는 살림에 큰일 났네. 저기 똥 싸는 어머니하고 어떻게 살아. 조심 좀 하지 그랬어?"

임신이 뭔지 피임이 뭔지도 모르는 나였다. 얼떨결에 임신을 하고 말았던 것이다. 스물두 살인데 이렇게 나는 한 번 더 짐을 내 어깨에 얹고 말았다. 남편은 일주일에 한 번씩 혹은 열흘에 한 번씩 집에 왔다가 가곤했다. 역시 올 때마다 술을 잔뜩 먹고 온다. 남편이 술 잔뜩 먹고 와서 쓰러져 잘 때 나는 갑자기 배가 아프기 시작했다. 만삭이었던 나는 배가 아프고 양수가 터져 남편을 깨울 수밖에 없었다.

"여보, 저 배가 아파요. 배가 아파요."

남편은 귀찮다는 듯 말했다.

"배 아프면 약 사다 처먹으면 되지, 이 밤중에 어떻게 하라고?"

안 그래도 배가 아파 죽겠는데 그런 소리를 들으니 서럽고 분했다. 배가 오그라들며 더욱 긴장이 됐다. 양수가 터져 다리 아

래로 흘러내렸다. 그걸 보자 남편도 조금은 당황했는지 주섬주
섬 옷을 입고 나를 부축해 병원으로 데려다주었다. 난산이었다.
난산을 이겨내고 결국은 둘째 아이를 낳게 되었다. 아들이었다.

고생하는 포항 살이

●

    커다란 밥솥에 연탄불로 밥을 하는 것은 쉬운 일이 아니었다. 그것도 대식구들의 밥을 한다는 것은 어려운 일이다. 나는 아궁이 앞에 앉아 아이를 업은 채 나도 모르게 꾸벅꾸벅 졸고 있었다. 너무나 피곤했기 때문이다. 그 순간 갑자기 어디서 타는 냄새가 났다. 눈을 떠보니 밥이 탄 거였다. 깜짝 놀라 밥솥을 연탄불에서 내려놓고 들여다보니 온통 타서 먹을 만한 게 별로 없었다. 그때 부엌문을 열고 형님이 나를 내려다본다.

    "아니, 밥 하날 제대로 못하는 거야? 도대체? 이래놓고 어떻게 집안일을 맡기고 내가 일을 하겠어?"

    마구 험한 욕을 퍼붓는다. 남편에게 욕설과 구타를 당하는 것도 억울한데 이제는 시누이에게까지 욕을 먹어야 했다. 나를 함부로 대하는 그런 모습에서 누구를 의지해야 할지 억울하고 한탄스러웠다. 서울에 있는 언니들과 엄마도 너무나 보고 싶었다. 그렇게 매일 밤을 눈물로 지새웠다. 이곳은 바닷바람과 함께 시리고 고달픈 삶을 위로받지 못하는 포항.

　내가 포항을 오게 된 건 어느 날 시어머니가 갑자기 나를 부르기 시작해서였다.
　"밥 줘, 밥 줘."
　치매 걸린 노인은 배가 늘 고프다고 했던 것 같았다. 두 아이를 데리고 밥을 차리는데 갑자기 그 순간 시어머니는 숨을 헐떡거리다가 생을 마감하고 말았다. 사람이 죽으니 겁이 덜컥 났고 장례를 치르는 동안 나는 비록 단칸방에서 아이 둘을 기르며 치매 걸린 시어머니를 모시느라 고생은 했지만 따뜻한 밥 한 끼를 제대로 차려주지 못했다는 죄책감에 가슴이 아팠다.
　장례를 치르고 나서 이제 아이 둘과 나만 단칸방에 남았다. 죄인이라도 된 것처럼 숨죽이며 아무것도 먹지 못한 채 나는 점점 몸이 말라갔다. 거식증이 온 것이었다. 먹어서 뭐할까 싶은 생각에 점점 힘이 빠지자 그때 우리 방문을 벌컥 연 것은 주인 아주머니였다.
　"애기 엄마! 왜 이래? 이러다. 사람 죽어. 아무리 힘들어도 먹고 살아야 돼. 먹어야 젖이 나오지. 산 사람은 살아야 될 거 아니야?"

그러면서 위로를 해주더니 죽을 쒀 내 입에 강제로 떠먹였다. 곡기가 입에 들어오자 힘이 돌고 온기가 돌며 다시 살아야겠다는 의지가 생겼다. 난생 처음 낯선 사람에게 온정을 받아본 경험이었다.

그렇게 다시 기운을 내서 아이들과 함께 힘든 시간을 버텨내려 했지만 서울에서 혼자 사는 것은 너무나 힘이 들었다. 둘째 아이가 젖을 물려주면 피가 나도록 빨아댄다. 하지만 어미인 내가 먹은 게 없으니 배고프다며 늘 울어 젖혔다. 아이가 울면 또다시 나에게는 우울증이 오고 스트레스가 쌓여갔다. 견딜 수가 없었다. 그때 내 머릿속에 떠오른 생각은 이거였다.

'그래, 남편이 있는 포항으로 가자. 무작정 가야 돼. 어떻게든 가면 자식새끼와 아내를 버리지는 않을 거야.'

근데 가려니 막상 아무것도 손에 가진 게 없었다. 태어날 때부터 늘 가난했고 물질적으로 손에 쥐어본 적이 거의 없었다. 차비조차 없어 발을 동동 구르고 있을 때 주인아주머니가 내 사정을 알아챘다.

"애기 엄마 남편한테 가는데 차비도 없다고? 내가 차비 줄게."

아주머니가 마지막 온정으로 차비를 주었다. 나는 그 돈을 들고 포항 가는 버스에 올랐다. 아이 둘을 업고 걸려서 포항에 도착해보니 차가운 바닷바람이 내 시린 가슴과도 똑같았다. 황량한 포항.

새로운 곳으로 사람이 옮겨간다는 것은 희망을 주는 일이다. 그러나 또한 그 희망만큼이나 고난과 어려움이 닥쳐오기 마련이다. 희망과 함께 불안함을 양손에 쥐고 나는 남편이 기거하고 있는 형님의 집으로 아이 둘을 데리고 끙끙대며 걷고 또 걸었다. 주소 하나만 보고 찾아가는 길이었다. 마침내 형님이 사는 집 대문 앞에 가자 내가 온다는 소리를 들었는지 남편이 초조하게 서 있었다.

"여보!"

가까이 다가가니 반갑기도 했다. 몇 달 만에 처음 보는 얼굴이었다. 그런데 남편의 얼굴은 형편없이 말라 있었다. 머리는 일하느라 바빴는지 중처럼 빡빡 깎았고 처음으로 그런 남편이 거지같아 보여 불쌍하다는 생각이 들었다. 그때 대문 안에서 누님의 야단치는 소리가 들렸다.

"야! 빨리빨리 와서 일 안해! 너 땜에 지금 일이 안되잖아!"

남편은 찔끔 놀라며 눈치를 살폈다. 남편이 얼마나 눈칫밥을 먹었는지 짐작할 수 있었다. 나는 말없이 아이를 남편의 품에 안겼다. 아빠에게 안기자 아이들은 모두 반가와 하는 눈치였다. 대문을 열고 들어서자 형님은 나를 보고 말했다.

"난데없이 이렇게 쳐들어오면 어쩌자는 거야? 아이고! 기가 차서 말도 안 나오네. 술 처먹는 저 동생 놈만 봐도 끔찍한데 아니, 애까지 둘 딸린 마누라까지 온다고? 나보고 어떻게 하라고?"

한심하다는 듯 나를 마구 혼냈다. 물론 나는 이해가 간다. 능력 없는 동생이 결혼해서 애를 둘씩 낳았는데 무조건 얹혀 살겠다고 내려왔으니 얼마나 답답했을까. 그래도 산 입에 거미줄을 칠 수는 없었다. 이렇게 해서 나와 남편은 포항에서 함께 생활을 하게 되었다.

누님네는 일곱 식구였는데 세를 얻어 살고 있었다. 누님은 아무것도 없이 아이를 키우는 내가 못마땅했는지 무척이나 나를 싫어하고 작은 것조차 도와주지 않았다. 우리는 열한 가구가 함께 모여 사는 작은 벌집 같은 단칸방에 살게 되었다. 그때부터 나의 지긋지긋한 월세살이가 시작된 것이다. 월세가 오천 원이었는데 남편은 그 돈조차 마련해오기가 어려웠다.

"아니, 아이 둘 데려와 놓고 돈까지 또 달라고 해?"

"애새끼를 누구 땜에 낳았는데 그래요? 왜 나한테 소리를 질러요? 자기가 낳게 해놓고 어쩌라고요? 정신을 좀 차리고 돈 벌어서 아이들 먹을 것도 좀 사주고 그래야지. 매일 술만 먹고 뭐 하는 짓이냐고요?"

그렇게 말대꾸를 했더니 남편은 또다시 욕설을 하며 나의 마음을 찢어놓는 거였다.

1부. 버려진 전쟁 고아

남편이 화내는 것을 받아주고 폭력을 참아내다 보니 나도 어딘가 배출할 곳이 필요했다. 울분이 터지면 옆에 있는 아무 죄가 없는 어린 딸에게 욕을 했다.

"이년아, 죽어. 너 땜에 진저리난다. 다들 죽자, 죽어."

죽자며 아이의 목을 조르기도 하고 머리를 쥐어박고 악다구니를 쓰곤 했다. 그럴 때면 아이는 동그란 눈을 뜨고 무서워서 벌벌 떨었다. 나는 아이의 영혼에 상처를 내는 세상에서 제일 나쁜 엄마였다.

그 옛날 엄마가 매를 맞으며 차별과 폭력의 희생양이 되던 것이 대물림이 되는 느낌이었다. 질기고도 질긴 악연의 끈이 우리 가정을 너무나 오래 속박하고 있었다. 헤어날 길이 보이지 않았다.

가난이 얼마나 힘들었던지 흥부가 놀부형님에게 찾아가듯 너무나 배고파 형님에게 찾아가 먹을 것을 달라고 했다.

"돈 한 푼 없어요. 돈 좀 주세요. 우리 먹고 살 게 필요해요."

"징글징글한 것들이야."

형님은 화만 내셨다. 그러면서도 일이 있으면 나를 불러다 종부리듯 부려먹었다. 워낙 겁이 많았던 나는 그런 형님의 무시와 천대에도 대꾸 한번 할 수 없었다. 아이에게 먹을 것도 먹이지 못하는 나는 정말 한심한 엄마였다.

그런데 그 동네 가게에서 어떤 아주머니 한사람이 부식을 사 가는 걸 보았다. 반찬거리와 이것저것 사가면서 한마디 했다.

"외상으로 달아 놔요."

"알았어."

가게주인은 장부에다가 무엇무엇을 가져갔는지를 적는 것이었다. 그 순간 나는 눈이 번쩍 뜨였다. 가게에 나중에 갚으면 되는 거였다. 세상을 몰랐던 나는 외상이 가능하다는 것조차 알지 못했다. 나도 달려가 쌀과 감자 부식을 사면서 말했다.

"저 아시죠? 저희 집에 외상으로 해주세요."

"알았어. 돈 생기면 가져오세요."

주인아저씨는 후하게 말해주었다. 한보따리 먹을 것을 안고 집으로 가자 나는 너무나 기뻤다. 배고파서 늘 우울해하던 아이들이 엄마가 해주는 요리 냄새에 벌써 흥분하는 것이 보였다. 먹을 것도 제대로 못 먹고 기죽어 있는 아이들, 처량한 내 인생을 닮은 아이들의 모습에 얼마나 가슴이 미어지던지 그날 맛있는 음식을 먹으며 행복해하던 아이들의 모습은 영원히 잊을 수 없다.

그러던 중 포항 형님은 일을 시작했다. 형님이 가정살림을 할 수 없게 되어 내가 자연히 그 집의 살림을 해주는 식모 아닌 식모가 되고 말았던 것이다. 식구가 일곱이었던 대가족을 나는 돌보게 되었다. 빨래에 청소에 밥에 설거지에 가정 일이라는 게 끝이 없었다.

나는 왜 이리 눈물을 흘리며 언제까지 이렇게 살아야 할지 포항에서의 반복되는 고된 일상이 말할 수 없이 힘이 들었다.

2부

하나님과의 만남

Healing

새벽 기도를 나가며

새벽 네 시에 나는 자동으로 눈이 뜨였다. 사방은 깜깜하고 어두웠지만 조심스럽게 몸을 일으켰다. 아이들은 곤히 잠들어 있었다. 눈은 뻑뻑하고 하품이 연신 쏟아져 나왔지만 조심스럽게 옷을 입고 방문을 열고 밖으로 나왔다.

오늘은 처음으로 새벽 기도를 가는 날이다. 옆방의 김 집사님도 방문을 열고 나오는 것이었다.

"자 준비됐어요?"

"네, 집사님."

"날 따라 오세요."

교회는 집에서 도보로 1분 거리도 되지 않았다. 걸어서 새벽

안개를 헤치며 교회를 향해서 달려가니 마당에 켜둔 작은 불빛이 마치 생명의 불빛인 양 나를 비춰주는 느낌이었다. 지금까지 느껴보지 못 했던 설렘이 느껴졌다. 가슴도 떨렸다. 얼마 만에 혼자 나오는 시간인지 알 수 없었다.

　내가 이렇게 교회를 다니게 된 건 옆집 사는 김 집사님 덕분이다. 열한 가구나 옹기종기 벌집처럼 모여 사는 우리 집 옆에 나의 말을 잘 들어주는 분이 있었다. 그분이 바로 나에게 예수님을 영접하게 해준 김 집사님이다. 그분은 이 땅에 분명 나를 위로하기 위해 보내주신 하나님의 선물이었다. 그렇지 않고서야 내가 어찌 교회를 올 수 있었겠는가. 연일 이어지는 노동과 고통 속에서 나는 너무 힘이 들어 외출했다 돌아오는 집사님에게 물어보았다.

　"아줌마, 혹시 교회에 가면 백일기도 같은 걸 드릴 수 있나요?"

　내가 그 동네에서 누군가에게 말을 걸면 사람들은 항상 나를 멸시하는 표정으로 바라보곤 했었다. 그런데 그분은 조금 달랐다.

　"아, 애기엄마. 백일기도 드리는 곳이 아니지만 기도는 얼마든지 드릴 수 있고요. 교회에서는 예수님 믿고 천국 가는 거야."

　"예수님 믿고 천국을 가요?"

　"응. 이 땅의 삶이 아무리 고되고 힘들어도 예수님을 믿으면 죽어서 천국을 가게 되지. 천국 백성이 되는 거라고."

"저 같은 사람도 가능할까요?"

"그럼 예수님께 기도하면 모든 걸 들어주셔."

"우리 남편이 저렇게 망나니 짓 하는 것도요?"

"당연하지. 남편이 행패부리고 때려 부수는 것도 내가 다 봤어. 하지만 새댁이 기도하면 고칠 수 있어. 기도 중에 최고는 새벽 기도야. 날마다 새벽에 나가서 기도를 드리면 그 정성이 하늘에 닿게 되어 있다고."

"나도 가고 싶어요."

"그래. 그럼 우리 교회에 새벽 기도가 있는데 다섯 시에 시작하는데, 나는 매일 가고 있어."

그 말을 듣는 순간 나는 어쩌면 내 인생이 바뀔 수도 있겠다는 생각이 들었다. 백일기도가 뭔지 새벽 기도가 뭔지 개념도 없었지만 이 답답한 마음을 기도라도 해서 풀고 싶었던 것이다. 고된 일상에 그렇게라도 해야 숨통이 트일 것만 같았다.

"고마워요, 고마워요. 그럼 내일 꼭 가도록 해요."

몇 번이고 고맙다고 하고 약속을 한 뒤 이렇게 새벽에 길을 나선 것이다.

교회 안에 들어가니 신자들이 와서 각자 편안한 자리에서 기도를 드리고 있었다.

"어떻게 기도하는 거예요?"

"하나님 아버지를 부르고, 하고 싶은 이야기를 해. 마음속으로 조용히 중얼거려도 되고 소리 내서 기도해도 좋아."

집사님이 나를 인도해주었다. 그러나 난생 처음해보는 기도라 어떻게 하는지 몰라 멀뚱멀뚱 주위만 바라보고 있었다. 자세히 보니 사람들은 눈을 감고 중얼거리며 고개를 끄덕이거나 자신의 기도에 깊이 빠져 있었다. 나도 눈을 감고 입을 떼어서 중얼거리며 말을 걸기 시작했다.

"누군지는 모르겠사오나 옆집 아줌마가 이곳에 와서 빌면 남편이 술도 안 먹는다고 하네요. 누군지 모르겠지만 제 기도를 좀 들어 주세요. 우리남편 술 좀 먹지 않게 해주세요. 그리고 가장으로서 돈도 좀 벌어오고 화내지 않게 해주세요."

정말 기도 같지 않은 기도였지만 나는 간절함 하나로 끊임없이 고개를 숙이며 이야기를 시작했다. 그런데 갑자기 감정이 북받쳐 오르며 눈물이 흐르기 시작했다. 살아온 나의 인생이 회고되면서 걷잡을 수 없이 눈물이 쏟아지며 아무리 닦아도 샘이 솟은 것처럼 계속 눈물이 나왔다.

울먹이며 기도를 계속했다. 북받치는 감정을 주체할 수가 없었다. 그렇게 한참을 기도하고 나자 가슴이 조금은 뚫리는 느낌이었다. 평생 처음 경험하는 새로운 세계였다. 새벽 기도가 끝나고 집에 돌아올 때 집사님이 내 등을 쓰다듬으며 말했다.

"새댁, 새벽 기도 하니까 좋아?"

"네, 하나님이 들어주실 것 같아요. 그리고 울고 나니까 속이 조금은 후련해요."

"그럼 내일도 또 만나."

그렇게 해서 그 다음날도 나는 새벽 기도에 또 나갔다. 같은 내용이었지만 바라는 것은 오직 하나 남편이 술을 먹지 않고 가정을 잘 지켜주며, 아이들을 잘 키웠으면 하는 그러한 바람 뿐이었다.

그렇게 며칠이 지나자 남편이 어느 날 집에 돌아오니 자리에 앉아 있었다.

"어딜 갔다 오는 거야?"

"교회에…… 새벽 기도…….''

"집안 살림이나 하지 여편네가 새벽부터 바깥으로 싸돌아다녀?"

차마 입에 담을 수 없는 욕설을 퍼부으며 아이들이나 잘 키우라며 나를 핍박했다. 그러나 나는 이미 교회에 가서 새벽에 기도하는 것이 내 삶의 유일한 낙이었다. 얼마나 기쁘고 좋은지 몰랐다. 기도만 하면 속이 후련하고 누군가 나를 도와주는 것 같아 다른 것은 다 포기해도 새벽 기도만은 포기할 수가 없었다. 남편이 아무리 욕을 하고 난동을 부려도 새벽 기도는 계속 갔다. 갈 때마다 그날 한을 쏟아내듯 날마다 울면서 통곡을 하는 거였다. 통곡과 눈물 속에서 나 자신이 조금씩 정화되는 것 같았다. 하지만 어느 날 새벽 기도 다닌다는 것을 안 형님이 나섰다.

"자네는 교회 갈 시간이 있으면 차라리 애들도 있는데 식당에 가서 설거지라도 해서 돈을 벌어야 할 거 아니야? 저 동생이라는 놈은 허구 헌 날 돈 벌어서 술만 쳐 먹고, 자네라도 정신을 차려서 돈을 벌어야 방세도 내고 살 거 아냐?"

"형님, 그러면 애들은 누가 돌보나요?"

"애들은 나한테 맡기고 돈이나 벌어!"

얼핏 보면 나를 위해주는 것 같았지만 이 모든 것은 나를 교회 가지 못하게 하려는 것이었다. 일터에 나가 돈을 번다는 것이 어떤 것인지 나는 알고 있었다. 이발소에서 치욕을 경험하기도 했고 무시당하면서 살아온 나였다. 너무나 무섭고 두려웠다. 게다가 호랑이 같은 형님에게 우리 아이들을 맡긴다는 것도 싫었다. 뭐라고 말해봐야 더 크게 욕설이 돌아올 게 뻔했기에 나는 입을 다물었다. 묵묵부답 그저 죄지은 것처럼 고개 숙인 뒤 입을 다물었다.

"아 뭐라고 말을 해봐!"

아무리 말해도 내가 반응을 보이지 않자 큰 소리를 지르며 고함을 쳤다.

"대답을 좀 해! 속이 터져 죽겠네. 방세도 못내는 주제에, 동네 창피해서 내가 어디 살겠어? 그렇게 살 바엔 너희식구들 다 뒈져버려. 연탄가스에 죽든지 약을 먹고 뒈지든지. 너희들은 차라리 죽어서 없어지는 게 나아."

제 정신으로 하는 말이 아닌 것 같았다. 모진소리를 나는 그저 묵묵히 들었다.

형님은 동생인 내 남편과 어려서부터 헤어져 살았기에 정이 별로 없었나 보다. 그래서인지 자신에게 신세지러 와 있는 동생을 살갑게 대해주지 않았다. 어떤 때에는 누나에게도 대접받지 못하는 남편이 안쓰러웠다. 그런데 우리 가족을 마치 내가 벌어먹여야 되는 것처럼 모든 짐을 지우는 형님이 야속하기도 했지만 미워하거나 같이 맞대들 필요는 없었다. 내 마음속에는 오로지 내일 아침 새벽에 교회가는 기쁨이 자리를 잡았기 때문이다.

그러자 한번은 분이 안 풀렸는지 방문을 열더니 우리 집에 찾아왔다.

"야! 내가 준 거 다 내놔! 그릇이랑 숟가락이랑 밥그릇 다! 재수 없어. 너희들 같은 것들한테는 이런 거 빌려주는 것도 아까워."

소리소리 지르며 밥그릇 두 개와 숟가락까지 가져가버리는 것이었다. 지금 생각하면 너무 어처구니없는 일이었다. 하지만 어렸던 나는 그때 무서워 벌벌 떨며 아무 말도 못하고 그 자리에 선채 한없이 울기만 했다.

겨울이 다가오면 김장을 해야 했다. 대식구의 김장을 하려니 200포기를 담는데 그것을 둘이나 넷으로 쪼개면 4, 500개의 포기에 속을 넣고 절이고 버무려야 한다. 차가운 날씨에 찬바람을 맞으며 얼음물을 퍼다 소금에 절인 배추를 씻으면 손이 얼어 감각이 없을 뿐만 아니라 몸이 파김치가 되어 아무것도 할 수가 없었다. 그렇게 김장을 담으려고 준비하면 시누이는 나타나서 배추를 깨끗이 씻지 않았다고 버럭버럭 소리를 질렀다. 지켜보던 아이들은 무서워 울어댔다. 사사건건 와서 소리를 지르고 욕을 하는 시누이에게 얹혀 살아야 하는 내 신세가 처량하기 짝이 없었지만 달리 방법이 없었다. 남편이 술을 먹고 가정을 돌보지 않으니 몇 년 동안 이러한 일을 당하면서도 견뎌야 했다. 이러한 영향은 곧 우리 아이들에게 전달이 되었다. 불안하고 두려워서 인지 정서가 불안했다. 큰아들은 여섯 살까지 밤마다 오줌을 쌌다. 그리고 한 번 울면 그치지를 않는 불안 증세를 보였다.

이러한 삶은 나 자신도 척박하게 만들었다. 핍박이 이어지자 내 성격이 날카로워져서 나 자신도 그러면 안 된다는 것을 알면서도 스트레스를 풀 곳이 없었다. 죄 없는 우리 아들딸에게 소리를 지르고 윽박지르는 일이 많아졌다. 분노조절의 장애가 있었던 것이다. 우리 아이들도 무서운 아버지와 엄마, 그리고 고모까지 사방에 자신을 주눅 들게 하고 겁먹게 하는 사람뿐이어서 자존감이 낮은 상태로 자라고 있었다. 엄마인 내가 그렇게 자라서인지 그것이 그대로 아이들에게 물려 내려가는 것이었다.

그때 이런 내 이야기를 들었는지 김 집사님의 집에 왔던 손님들이 나에게 와서 위로의 말을 건넸다.

"애기엄마, 잘 참고 있어요. 끝까지 참고 견디면 예수님이 애기 엄마 편이 되어서 도와주실 거예요. 꼭 교회 안 나가도 되고 집에서 무릎 꿇고 기도해도 예수님은 어디에서든지 다 알아주세요. 생각날 때마다 기도하세요."

그렇게 위로해주었다. 그 참에 나에게 숟가락, 젓가락, 그릇 두세 개를 주었던 형님이 그것마저 빼앗아 간 것을 김 집사님에게 말했다. 그 말을 들은 김 집사님은 같은 교회 다니는 그릇 장사하는 분을 소개해 주어서 외상으로 숟가락, 젓가락, 그릇을 사게 해주셨다. 그렇게 늘 집사님은 나에게 많은 사랑을 베풀어 주셨고 이것저것 신경을 많이 써주셨다. 김 집사님 부부는 나에게 늘 천사 같은 분들이었다. 나는 그들의 은혜를 갚을 길이 없었다. 내가 할 수 있는 것은 교회에 달려가는 일이었다. 교회에 가서 나는 신자로 등록을 했다. 그 다음부터는 우리 아이들 둘을 데리고 교회에 다녔다. 이제 비로소 나에게 신앙생활이 시작된 것이다.

섬김과 챙김

●

"새댁 있어요?"

방문을 열자 김 집사님이었다.

"이거 별거 아니지만 아이들하고 국 끓여서 먹도록 해요."

내미는 것은 소고기 한 근이었다. 그 고기를 보자 나는 감사한 마음에 울컥했다. 가난한 우리 집의 형편을 알고 고기 한 근을 사다 주신 것이었다.

"집사님, 감사해요."

"아이들 배고플 텐데 어서 끓여 먹어요."

"네."

받아들고 부엌으로 들어서자 갑자기 목사님께 갖다 드리고

2부. 하나님과의 만남

싶은 생각이 들었다.

"목사님은 주님의 종이야. 목사님 잘 섬기면 복 받을 수 있어."

그것은 김 집사님이 오래전에 나에게 해주신 말씀이다. 목사님을 잘 섬기면 복을 받는다고 하지 않았던가.

나는 선물 받은 고기를 들고 목사님 집으로 향했다. 그동안 늘 감사하게 기도만 받고 배려를 받았지 뭘 하나 갚은 적이 없었는데 고기라도 드리고 싶었던 것이다. 목사님집 앞에 도착해 초인종을 누르려 하니 고기 한 근 들고 온 게 너무나 약소한 것 같다는 생각이 들었다.

'이렇게 작은 걸 드리면 웃지 않으실까? 부끄럽다. 약소한데.'

이렇게 망설이고 있을 때 갑자기 대문이 열리며 목사님 사모님이 나오는 것이었다.

"누구세요?"

"아 예. 사모님! 안녕하세요?"

"우리 교회에 나오는 자매님. 어쩐 일이세요?"

나도 모르게 등 뒤에 숨겼던 고기를 부끄러워하며 내밀었다.

"누가 이걸 저한테 사다주셨는데요. 별 거 아니지만 목사님께 꼭 드리고 싶어서 가져 왔어요."

그러자 사모님은 모든 걸 이해하는 눈치였다. 우리 집이 얼마나 가난한지도 알고 있고 아이들 때문에 고생하는 것도 알고 있는 분이었는데 아무 말없이 나를 꼭 안아주었다.

"고마워요. 잘 먹을게요."

비록 우리 아이들이 먹어야 할 고기지만 목사님에게 갖다드리고 돌아오는데 발걸음은 가벼웠다. 부끄러움은 사라지고 기쁨만이 내 가슴에 충만한 거였다. 마치 예수님에게 드린 것만 같은 기분이었다.

처음 교회에 가서 기도할 때 나는 예수님이란 말도 배우지 않은 상태였다. 그저 백일기도하는 마음으로 소리 내어 기도할 뿐이었다.

"누군지 모르지만 저 좀 도와주세요. 저희 남편 좀 구해주세요. 우리 가족 좀 살려 주세요!"

그렇게 눈물을 흘리며 매일매일 기도하니 내 마음속의 응어리를 모두 다 쏟아낸 기분이었다. 그러나 아직 응답은 받지 못하고 있었다. 아니 응답이 뭔지도 모르는 상태였다. 그렇게 그날 아침도 통성으로 기도를 하고 있는데 갑자기 천둥치는 소리가 귀에 들려왔다. 그 목소리는 난생 처음 듣는 것이었다.

"사랑하는 나의 딸아. 나는 예수니라. 앞으로 네가 기도할 때는 누구신가고 나를 부르지 말고 예수님이라 불러라."

그런 음성이 들리는 것이 아닌가! 나는 너무 놀라 벌벌 떨었다. 그리고 조심스럽게 물어보았다.

"예수님 예수님이시라고요? 예수님이 누구시옵니까?"

그러면서 기도하자 바로 응답이 왔다.

"나는 예수니라. 너를 구원하기 위해 이 땅에 내려와서 고난을 받은 예수다. 십자가에 못이 박혀 죽은 예수다. 너를 내피로 값주고 샀기 때문에 너를 이곳에 불렀다."

예수님의 음성은 이어졌다. 나중에 알고 나서 깨달은 거지만 예수님의 목소리를 듣는 것은 다양한 방식이 있다고 했다. 어떤 때는 감동으로 목소리를 들려주시기도 하고, 때로는 생각으로, 때로는 말씀으로 들려주신다는 것이다. 물론 어떤 때는 다른 사람의 입이나 주변 환경과 여건을 통해서도 응답을 해주신다. 하지만 이런 것을 이해할 만큼 배운 것이 없고 미천한 나에게는 직접 목소리를 들려주신 것이다.

말씀을 들은 뒤 나는 예수님이 있다는 것을 알게 되었고 그 예수님의 존재가 두렵기도 하고 무서웠다. 나에게 예수님은 이렇게 다가오셨다. 무섭기도 했지만 예수님이 나를 구원해 주겠다고 했고 대신 죽었다고 하는 말을 들으니 처음으로 이 세상에 나의 편을 하나 만든 것만 같았다. 그 음성 듣는 것이 너무 좋았다. 새벽 기도에도 나가고 주일예배도 나가면서 모든 남편과 형님의 핍박을 다 견뎌냈다. 한 번도 빠질 수는 없었다. 그러면서 점점 신앙심의 싹은 척박한 땅을 뚫고 밖으로 올라왔다. 내 인생을 송두리째 하나님께 맡기겠다고 다짐을 했다.

"예수님. 전에는 아무것도 몰라서 누군가라고 말씀드렸지만 예수님께서 예수님이라고 이름을 알려 주셨습니다. 이제 예수님이라고 부를 수 있어서 감사합니다. 예수님 절 좀 도와주세요. 남편 술 먹는 것 좀 고쳐주세요. 또 우리 불쌍한 아이들 사랑받지 못하고 자라고 있는데 건강하게라도 자라게 도와주세요. 또 우리 형님 소리 지르지 않게도 해주세요. 지저분하고 부끄럽다며 맨날 소리치고 구박하시는데 구박도 하지 않았으면 좋겠습니다."

지금 생각하면 낯부끄러운 기도였다. 오로지 복만 받겠다고 사정하고 매달리는 기도였다. 때로는 어린아이처럼 떼를 쓰고 소리 지르며 울었다. 교회에서 통성기도할 때 나는 주위는 둘러보지도 않았다. 오로지 나와 예수님만의 대화에서 어린아이처럼 매달리고 응석을 부린 것이다.

그랬더니 어느 날 한 장로님이 다가와 나에게 말하는 것이었다.

"자매님."

"왜 그러세요?"

"교회에서 이렇게 소리 지르고 남에게 피해주시면 안됩니다. 주변 사람들도 다 자기 기도하고 있잖아요. 혼자만 소리 지르고 울고불고하면 시끄럽습니다. 좀 조용히 기도해주세요."

나에게 간곡히 부탁했다. 나는 얼굴이 빨개지며 고개를 숙였다.

"아, 네. 주의하겠습니다."

그러나 기도할 때마다 울고 또 울었다. 간신히 이를 악물긴 했지만 수고하고 짐 진 자를 자신에게 오라고 하시는 예수님에게

왔으니 지고 있는 모든 짐을 내려놓고 여한 없이 울고불고 하는 것이었다.

그러한 나의 예수님에 대한 갈망과 사랑은 금요철야 기도로 이어졌다. 밤을 새서 금요일 집회를 하는데 우리 아이 둘을 데리고 따라나섰다. 아이들은 한쪽 구석에서 자기들끼리 놀고 있고 목사님 말씀을 들으며 기도를 하는데 어찌나 속이 시원한지 몰랐다. 그때 목사님은 이렇게 말했다.

"주의 종을 섬기면 복을 받습니다. 주의 종을 섬기십시오."

주의 종이 도대체 누군가 하는 생각이 들었다. 집회가 끝난 뒤 집사님에게 물었다.

"주의 종이 누구예요?"

"아이, 새댁. 목사님이지. 목사님이 주의 종이야. 목사님을 잘 섬기고 모시면 복을 받을 수 있다고."

"저희는 가진 게 아무것도 없는데 어떻게 목사님을 모셔요?"

"새댁. 부담 갖지 마. 잘 섬기라는 게 물질적인 걸 얘기하는 게 아니야. 예수님의 가르침을 우리에게 잘 전달하게 해달라고 기도해드리면 되는 거지."

비로소 주의 종이 목사님이라는 걸 알았다. 머릿속에 항상 주의 종은 목사님이라는 이야기가 쟁쟁거리며 떠나지 않았다.

'복을 받는다면 얼마든지 내가 할 수 있지. 나도 앞으로 목사님을 잘 모시고 섬기도록 할 거야.'

그 뒤로 나는 목사님을 위해서도 전심을 다해 기도했다. 교회에서나 집에 있을 때도 항상 목사님을 생각하며 기도했다.

"예수님, 우리 목사님 건강하게 해주세요. 아주 잘 되게 해주세요."

역시 맹목적인 기도였다. 이렇게 무조건 기도만 하면 들어 줄거라고 단순하게 생각했던 것이다. 아무것도 몰랐던 나는 그저 남들이 말하면 의심하지 않고 받아들이며 그대로 행하는 어찌 보면 남들이 볼 때 어리석기도 하면서도 우직한 삶을 살았다.

그러나 신앙적으로는 순종하는 삶이어서 후회는 없었지만 목사님의 말씀과 예수님의 말씀을 깊이 새겨 내 삶을 바꾸어야 한다는 것은 미처 깨닫지 못했다. 하나님의 섭리와 그 원리가 얼마나 심오한지도 알지 못한 채 오로지 나 자신의 복을 위해 기도하는 초급신자의 삶을 살았다. 지금 생각하면 얼굴이 붉어지고 웃음이 나오지만 다 이런 과정을 겪었기에 여기까지 온 거라고 생각한다.

그러던 어느 날 교회에 갔는데 사모님이 나를 사람 없는 곳으로 살짝 부르는 것이었다.

"자매님 저 좀 봐요"

"네?"

따라가니 목사님 사모님은 나에게 말했다.

"자매님. 김 집사님에게 들었어요. 자매님 댁 형편이 상당히 어려우시다고요?"

그 말을 듣는 순간 나는 할 말을 잃었다. 내 고통과 아픔을 알고 있듯 위로해준 목사님, 사모님의 따뜻한 마음에 눈물이 왈칵 쏟아지려 했다.

"아이들 키우면서 고생 많이 한다고 들었습니다. 이거 별거 아니지만 이따 댁에 가실 때 가져가세요."

사모님은 쌀 한 포대를 나에게 주는 것이었다. 고기를 드렸다고 이렇게 보답을 받다니 이 세상에는 정말 나 혼자만 있는 것이 아니라는 사실을 깨달을 수 있었다.

나는 사모님만 보면 늘 마음이 편안해지고 기분이 좋아졌다. 따뜻하고 인정 많은 사모님의 모습은 나를 더욱더 목사님과 그 가정을 위해 기도하도록 만들었다. 늘 사모님은 나를 관심 있게 바라보고 먹을 것이 생기면 빠지지 않고 챙겨주었다. 사모님 덕분인지 목사님의 말씀이 훌륭해서인지 한마디도 놓치지 않고 귀담아 들었다. 지금도 기억에 남는 구절들은 이런 것이다.

"항상 기뻐하라 쉬지말고 기도하라 범사에 감사하라."
"네 이웃을 네 자신과 같이 사랑하라."

돌파구가 없다

새벽 기도를 다니면서 집안일을 하느라 나는 아이들을 돌볼 겨를이 없었다. 어느 날 문득 저녁때가 되어 아이들이 돌아와 배고프다고 하자 오랜만에 맛있는 걸 해주고 싶은 마음이 들었다. 시장바구니를 들고 시장을 향해 막 집을 나서는데 이웃집 아주머니가 급하게 나를 불렀다.

"애기엄마! 형님 집에서 전화가 왔어. 빨리 오래."

"예?"

예감이 불길했다. 형님이 이렇게 나를 급하게 부른 적은 없었기 때문이다. 시장바구니를 내던지고 덜덜 떨리는 마음으로 형님 집으로 들어섰다. 대문을 열고 들어서자 기다렸다는 듯 형님이 말하는 거였다.

"마음 굳게 먹어. 자네 어머님이 돌아가셨어."

그 순간 나는 마당에서 쓰러져버리고 말았다. 엄마가 돌아가셨다니…….

포항이라 멀리 떨어져 와있으니 엄마에게 당장 가볼 수도 없었다. 내가 가게 되면 아이들과 형님 집안의 살림과 남편은 누가 챙긴단 말인가. 그렇게 엄마가 보고 싶을 때는 할 수 없이 교회에 가서 예수님에게 매달릴 수밖에 없었다.

"예수님. 우리 엄마를 낫게 해주세요. 엄마가 보고 싶어요. 안되면 엄마라도 보러 갈 수 있게 저를 허락해주세요."

이렇게 기도한 게 응답이 되었는지 갑자기 남편이 허락을 하는 거였다.

"그렇게 장모님 보러가고 싶으면 한번 올라갔다 와."

귀를 의심할 지경이었지만 나는 부랴부랴 준비를 해서 포항에서 서울로 올라왔다. 허둥지둥 엄마가 보고 싶어 달려가 언니와 함께 사는 엄마를 만났다. 그러나 엄마를 만나는 순간 나는 괜히 왔다는 생각이 들었다. 엄마는 뼈만 남은 상태로 몸이 더이상 나빠질 수 없을 정도로 쇠약해져 있었다. 엄마를 보자 얼마나 가슴이 아팠는지 모른다. 이런 엄마를 놔두고 연락 한번 제대로 못하고, 같이 있으면서 엄마를 위해 맛있는 음식 한번 못해 준

나 자신이 원망스러웠다. 그 자리에서 나는 엉엉 울고 말았다.

"아이고! 엄마! 불쌍한 우리 엄마! 왜 이렇게 말랐어!"

그 모습을 보자 엄마도 우는 거였다.

"아이고, 내 딸아. 엄마 인생처럼 너도 지지리도 복이 없구나. 남편 사랑을 못 받는 것도 다 내 잘못이다. 우리 딸아, 미안하구나. 미안해. 내 탓이다."

그러면서 펑펑 우는 거였다. 우리 둘은 그냥 끌어안고 한동안 울기만 했다. 서로 살을 부비며 울어도 한이 풀리지 않았다. 그렇게 다시 돌아올 날이 되어 포항으로 내려오고 말았다.

초췌한 엄마였지만 그래도 보고 오니 한이 좀 풀렸다. 마음이 편안해진 것이다. 그럴수록 이제는 더 엄마가 그리워졌다. 밤마다 기도하면서 엄마를 그리워했고 눈물로 기도를 했다.

그랬던 엄마가 돌아가신 거였다. 얼마 전에 부둥켜안고 울었던 엄마인데 그렇게 하늘나라로 가버렸다. 엄마랑 같이 산 세월도 많지 않은데 왜 엄마는 이렇게 서둘러 가버린 걸까? 나만 혼자 남겨두고, 나는 온통 동네가 떠내려가도록 마당에 털퍼덕 주저앉아 통곡을 했다. 한없이 울고 울었다. 엄마의 임종도 보지 못한 나는 정말 천하의 불효자였다. 너무나 보고 싶은 엄마의 부고에 나는 사무치는 아픔으로 몇날 며칠을 앓아누워야만 했다.

'불쌍한 우리엄마, 불쌍한 우리엄마, 자식들 잘 되는 것 보지도 못하고…'

엄마의 장례식을 치르고 온 뒤 나는 이제 이 세상에 붙잡을 것은 교회뿐이었다. 그래도 내 곁에는 나를 잡아주는 좋은 분들이 계셨다. 김 집사님 내외분이 그들이다. 신앙심이 좋은 분들이다. 나중에 남편분은 장로님이 되셨다. 부부가 번갈아가며 나에게 말씀을 하나씩 하나씩 가르쳐주었다. 위로가 되는 말씀들을 주옥같이 일러주시는 것이다. 기도하는 법도 가르쳐 주셨다. 이렇게 좋은 말씀과 기도를 통해 나는 회개를 알게 되었다.

"애기엄마. 잘못한 죄를 반성하는 것만이 회개가 아니야."

"그럼 회개가 뭐예요?"

"회개라는 건 원래 있던 데로 돌아오는 거야. 사람들은 누구나 하나님의 자녀였잖아. 그러다 죄를 짓기도 하고 어리석음을 저지르기도 하지. 그런데 원래 하나님이 원하시는 자리로 돌아가면 모든 게 풀리는 거야."

이런 식으로 예수님에 대해 알기 쉽도록 풀이해주었다.

"그리고 예수님은 우리들의 죄 때문에 십자가에 매달려서 돌아가셨잖아."

그 이야기를 듣자 자식을 위해 고생한 엄마가 떠오르며 이해가 되었다. 남을 위해 죽을 수 있는 것, 그것이 진정한 사랑이라는 것을 알자 눈에는 뜨거운 눈물이 흘렀다. 엄마 뱃속에서의 느낌이 전해지는 것처럼 나를 위해서 돌아가신 예수님의 사랑이 온몸으로 느껴졌다. 뜨거운 마음 때문에 당장 예수님이 어디 있다면 달려가고 싶은 심정이었다. 살아계신 주님을 외치며 나는 회개의 기도를 하게 되었다. 진심으로 마음과 뜻을 다해 뜨겁게 기도를 하고 통성기도를 드렸다. 그렇게 기도가 이어지자 어느 날 갑자기 내 입에서 방언이 터졌다.

"따다 따다 따따다. 따뚜뚜 따따따!"

내 입에서 나오는 소리 같지 않은 소리가 쏟아져 나왔다. 그때 나는 나의 기도에 응답하는 하나님의 이야기를 들었다.

"사랑하는 내 딸아 너를 사랑한다."

나는 그걸 분명히 들었다. 하나님과 나만 아는 대화로 마구 대화를 나누었다. 뛰는 심장을 부여잡으며 사랑한다는 예수님과 대화 나누는 벅찬 감동을 경험했다.

어렸을 때부터 그 누구의 사랑도 받지 못했던 나였다. 아빠의 사랑을 전혀 알지 못했던 나는 육신의 아버지가 한 번도 사랑한다 말해준 적 없었고, 어른들이라면 누구나 나를 핍박하기만 했던 과거의 아픔이 치유되는 것 같았다. 보이지 않는 예수님만이 아빠가 되어 나를 사랑한다고 말해주는 것처럼 편안하게 느껴졌다. 너무나 행복했다. 너무나 평안하고 마음이 안정되었다. 그 날부터 나는 더욱더 교회를 열심히 다녔다. 교회에서 주어지는 일은 모두 다 했다. 봉사도 하고 신앙생활도 하며 성경도 읽었다. 그렇게 교회에 출석한지 육 개월이 지나자 학습을 하고 다시 육 개월이 지나서 세례를 받았다. 목사님은 그런 나를 칭찬해 주셨다.

"최고의 신자입니다. 이렇게 뜨겁게 신앙이 성장하시니 보기가 좋네요."

사모님도 나를 항상 배려하고 챙겨주었다. 그렇게 교회를 다니자 얼마 지나지 않아 집사의 직분도 받았다. 성가대에서 뜨겁게 찬양도 하게 되었다. 그런 나의 열성을 본 사람들이 일을 더욱 맡기는 거였다. 이는 마치 주인이 맡겨놓은 돈을 잘 불려놓은 종에게 계속 돈을 맡기는 것과 같았다. 유치부 교사도 맡으면서 나는 오로지 예수 바보가 되었다. 기회만 있으면 나는 말했다.

"예수님, 사랑해요. 사랑해요. 누구보다 나는 예수님이 좋아요."

주님의 뜨거운 사랑을 경험하면서 나는 자존감도 올라갔고 내가 이 땅에서 쓸모없는 사람이 아니라는 것도 깨달았다. 교회에 미쳐 지내다보니 아이들과 남편에게는 신경을 쓸 수가 없었다. 주변에서는 광신도라는 수군거림도 들려왔다. 그러나 나는 간절한 마음으로 교회만을 붙잡았다. 교회만이 나의 유일한 삶이고 이것마저 놓치면 나는 이 땅에서 살 이유가 없었다.

그렇게 집착하듯 교회를 다녔지만 세상일은 그렇게 쉬운 게 아니었다. 집안을 돌보지 않고 말썽을 부리던 남편이 어느 날 폭탄을 터뜨렸다. 회사에서 사고를 낸 것이다. 술을 먹고 평소에 감정이 있던 동료직원에게 몇 마디 하다가 다툼이 일어났고 그

직원을 때리는 바람에 회사에서 쫓겨난 거였다. 그동안 애써 모아 놓았던 돈은 매 맞은 동료의 합의금으로 다 써버리면서 돈이 모자라 빚까지 지게 되었다. 또다시 나의 가정생활은 나락으로 떨어졌다. 가난에 가난을 더할 수밖에 없었다.

남편은 고단한 현실을 잊으려고 더 술을 먹게 되었다. 밖에 나가 먹을 돈이 없어 술을 사다 집에서 먹었고 나에게 온갖 추태를 부리며 아이들에게도 욕하고 자신의 억울함을 술로 풀었다.

그 이야기를 들은 형님은 또다시 찾아와 한바탕 난리를 쳤다.

"교회에 빠져서 가정도 안 돌보고 남편도 챙기지 않는 이 미친 년!"

폭언을 퍼붓고 욕하는 것은 익숙했다.

"거지 같은 년이 우리 집에 들어와서 동생 쫓겨나게 만들었네. 아이고, 불쌍한 내 동생! 저 거지같은 년. 내 눈앞에서 사라졌으면 좋겠네!"

동생을 무시하고 종 부리듯이 부릴 땐 언제고 이제 와서 내 탓으로만 돌리는 그 형님 때문에 나는 너무 가슴이 답답하고 울화가 치밀었다. 가슴속에 뭔가 맺혀 있는 화병까지 생기고 말았다. 내 인생에는 더 이상 돌파구가 없어 보였다. 이렇게 꽉 막힌 돌파구에 유일한 해결책은 예수님뿐이라는 것을 나는 믿었지만 답은 보이지 않았다.

남에게 퍼주는 삶

고등학교 3학년인 나의 의동생이 찾아와 고민을 상담했다.

"누님, 이제 곧 졸업을 해야 하는데 공무원을 해야 할까요? 아니면 포항제철에 취직할까요?"

그 당시 나는 사역을 하고 있지 않았다. 그런데도 이렇게 나에게 찾아와 진지하게 자신의 인생문제를 상담하고 물어온 첫 제자인 셈이다. 그 동생은 나의 친동생이 아니라 의동생이었다. 나는 주위에 힘들고 불쌍한 사람들을 보면 그냥 지나칠 수가 없었다.

내가 찢어지게 가난했지만 남을 도와줄 수 있었던 것은 남편이 해외로 취업을 했기 때문이다. 매일 술에 취해 사는 남편인데 하루는 맨 정신으로 신문 한 장을 들고 들어왔다.

"여보, 이란에서 노동자를 모집해."

당시 중동 붐이 일어날 때여서 이란에서 노동자를 모집하는데 남편은 가고 싶다는 거다.

"먼 나라잖아요?"

"일 년에 한번 휴가를 받아서 올 수 있을 거야."

막상 남편이 갖은 횡포를 부리고 가장으로 능력이 부족했지만 해외에 근무하러 간다고 하니 안쓰럽기도 했다. 그러면서도 내심으로는 마음껏 신앙생활을 할 수 있을 거라는 생각이 들기도 했다. 복잡한 마음 상태에서 나는 그저 "당신 원하는 대로 하라."고 말할 수밖에 없었다. 남편은 그때부터 술도 안 먹고 이란 가는 노동자 지원서를 내며 준비를 했다. 몇 주가 지나자 남편은 말했다.

"여보, 나 드디어 이란에 가게 됐어."

그때 나는 이미 셋째 아이를 임신한 상태였다. 아이 둘에다 또 새로 태어날 아기까지 키워야 하는데 겁이 덜컥 났다. 매일 술이나 먹는 남편이지만 있을 때는 의지가 되는데 없다고 하니 두려워지는 것이다.

"여보, 당신 없이 내가 어떻게 애들을 키워요?"

"애들 키우려면 돈이 있어야 하잖아. 이란에 가면 그래도 돈도 많이 주니까 그걸로 당신이 애들을 키우시오."

그 말도 틀린 말은 아니었다. 결국 우리 부부는 용기를 냈다. 새로운 돌파구를 찾아보기로 했다. 나는 이것이 하나님이 주신 돌파구라고 믿어 의심치 않았다.

그렇게 해서 남편은 마침내 비행기를 타고 먼 이란으로 일하러 떠나고 말았다. 남편이 가자 갑자기 빈자리가 휑했지만 교회가서 기도하고 늦게 와도 밥상 차리라든가 술 먹고 행패를 부리는 남편이 없으니 행복한 하루가 시작되었다. 큰 짐을 던 것만 같았다. 그러나 형님의 잔소리가 계속 이어졌다. 남편이 없으니 방어해 줄 방패막이가 없어져서 더욱더 대놓고 우리 집을 드나들며 시집살이를 시켰다. 각종 허드레 심부름에 잡일을 하면서도 좋은 소리 한 마디 듣지 못하는 삶이 이어졌다. 너무 힘들어 울기도 많이 하고 속도 상했지만 오로지 주님만 의지하며 감사한 삶을 살 수 있게 된 것이 다행이라는 생각이 들었다. 남편은 가족이 그리운지 가끔은 시간 날 때 편지를 써서 보내왔다.

'여보, 멀리 떨어져 있어보니 가족의 소중함을 알겠어요. 전에 당신에게 술 먹고 부렸던 모든 행패와 모든 욕설 다 용서해주시오. 아이들이 보고 싶소. 나는 열심히 돈을 벌어 보낼 테니 당신 힘들더라도 잘 참아요. 나를 용서하시오.'

생각지도 않았던 이런 편지가 날아오자 미워했던 마음이 눈 녹듯 사라지기 시작했다. 제 정신을 차리고 일을 하면 이렇게 성실한 남편이었다.

나는 남편이 그리워졌다. 적당히 떨어져있으니 그리움이 계속 무르익는 것이었다. 이렇게 남편은 성실하게 돈을 보내왔다. 그렇게 수년간 해외에서 근무하면서 일 년에 한 번씩 돌아와 가족들을 보곤 다시 일하러 가곤 했다. 한국에 돌아오면 어찌 된 일인지 다시 술을 먹고 횡포를 부려 신뢰와 애정이 다시 곤두박질 치곤했다. 이런 상황에서 아이들은 불안한 엄마의 심리를 견뎌 내야만 했다. 아빠도 없는데다 엄마는 교회에만 가 있어 가난과 외로움으로 아이들이 불쌍해 보여서 너무 힘이 들었다. 불안함 속에서 하루하루를 보낼 수밖에 없었다.

그나마 다행인 것은 남편이 해외에서 힘들게 번 돈은 꼬박꼬박 부쳐주었다. 그러나 그 돈이 기회가 될 수 있었는데도 나는 그것을 잡지 못했다. 워낙 가난하게만 살아와서 갑자기 돈이 들어오니 어떻게 쓰는지를 몰랐다.

게다가 가난했을 때 하고 싶었던 교회의 봉사나 헌금을 마음 껏 할 수 있게 되니 나는 앞뒤 가리지 않고 돈을 썼다. 헌금을 하고 공동체 사람들을 도왔다. 아이들 등록금까지 남을 줄 정도였다.

그래도 다행인 건 돈에 관해서는 남편이 나중에 이 사실을 알아도 이미 써버린 돈을 가지고 뭐라고 한 적은 없었다. 아마도 자신이 그동안 저질렀던 행동에 대한 벌이라고 생각한 것 같았다.

이렇게 돈만 생기면 주위 사람들에게 나눠줘 버리니 사람들

2부. 하나님과의 만남

은 나를 한심하게 바라보았다. 비난하고 수군거리기도 했다. 하지만 나의 마음속에는 성경구절 하나가 새겨져 있었다.

'네 이웃을 네 자신과 같이 사랑하라.'

주님의 말씀이었다. 주위의 비난을 받으면 받을수록 나는 더욱더 꼿꼿하게 일어서서 더 나누고 베풀었다.

그렇게 해서 알게 된 나이 많은 교회의 집사님이 계셨다. 그분은 혼자된 몸으로 건강하지도 않은데 네 명의 사내아이들을 키우며 하루하루를 근근이 살고 있었다. 그 집사님을 본 순간 나는 아팠던 우리 엄마가 생각났다. 죽어서 이제는 이 세상에 없는 엄마, 그 측은한 엄마 생각에 나는 물심양면으로 돕기 시작했다. 틈만 나면 집사님의 건강을 위해서 기도했다. 먹을 것이나 입을 것이 생기면 생기는 대로 갖다 주었다.

집안이 가난해서인지 집사님의 아들들도 이제라도 튀어나갈 듯한 반항기가 가득한 얼굴이었다. 나의 이런 헌신 때문인지 그 집의 큰아들은 바깥에 나가서 오랜 방황을 하다가 다시 돌아와서 신앙생활을 잘하는 청년이 되었다. 그 아이들도 자신들에게 아무 이해관계 없이 도와준 나의 행동이 감동으로 다가왔던 모양이다.

어느 날 아들 넷이 찾아와 나에게 무릎을 딱 꿇더니 말했다.

"앞으로 저희가 누님으로 모시겠습니다."

그들이 해줄 수 있는 건 그것뿐이었다. 내가 태어나기 전에 아버지가 돌아가셔서 나는 막내였다. 동생들이 없었다. 게다가 언니오빠들은 일찍 죽었고, 살아 있는 언니들과도 어려서 헤어졌다. 그러다보니 새로운 네 명의 동생이 생긴 것이 너무 기분이 좋았다.

"좋아. 나를 앞으로 누나로 부르도록 해."

누나가 되었으니 나는 진짜 친누나처럼 동생들을 볼 때마다 용돈도 주고, 먹이고 입히는 일에 신경을 썼다. 그러나 주위에서는 나를 비난했다.

"남편이 뼈 빠지게 벌어온 돈으로 남의 집을 거두고 있어."

"정신 나간 사람이야. 남편이 알게 되면 쫓겨날 텐데."

이런저런 소문이 동네에 돌고 돌자 형님이 또 찾아왔다.

"더럽고 추잡한 년이 더러운 짓을 하고 있어. 미쳐가지고 내 동생이 벌어온 돈을 왜 남을 주는 거야?"

입에 담지 못할 욕을 퍼부었다. 그러나 나의 마음은 꿋꿋했다. 내가 원하는 대로 느껴지는 대로 행동할 뿐이었다. 집사님의 아들들이 독립할 때까지 헌신하고 헌신했다. 그랬더니 이렇게 둘째 아들이 찾아와 나에게 진로상담까지 하게 된 것이다.

"동생. 나도 지금 당장 답을 줄 수는 없어. 우리 예수님과 하나님에게 여쭤보자. 40일간 아침 금식 기도 해볼게."

그렇게 해서 나는 새벽마다 아침에 밥을 먹지 않고 기도를 하며 어느 길로 가야 할지를 간절히 물어보았다. 하루도 빼먹

2부. 하나님과의 만남

지 않고 나의 일처럼 최선을 다해 기도했다. 기도하는데 자꾸 하나님은 포항제철로 가라고 응답해주셨다. 결국 나는 동생에게 말했다.

"동생, 포항제철에 넣어봐. 하나님이 아무래도 포항제철을 원하셔."

"네. 그럼 포항제철에 넣어볼게요."

성실하게 공부했던 동생은 포항제철에 넣자 바로 합격이 되었다. 어찌나 기쁜지 몰랐다. 기도의 힘이 이렇게나 대단한 것을 느끼게 되었다. 그러나 하나님의 뜻은 그렇게 간단하게 이해할 수 있는 게 아니었다. 첫 출근을 몇 주 앞뒀는데 갑자기 날벼락 같은 소식이 들려왔다.

"누님. 제 몸에서 결핵이 발견되었대요. 불합격이에요."

너무 실망해 멍하니 있는 동생을 보자 나까지도 충격을 받았다. 그 동생이 취업이 되면 그 집에 월급이 들어가고 가난하던 그 집이 활기가 돌 거라고 믿었는데 그러지 못하게 되었다고 하니 망연자실할 수밖에 없었다.

"기다려. 하나님이 이렇게 우리를 버릴 리가 없어. 내가 좀 알아볼게."

난 만사를 젖히고 동생을 취직시키기 위해 최선을 다했다. 동생의 폐결핵을 진단한 의사에게 찾아가 물었다. 무릎을 꿇고 애원했다.

"제 동생 진단서를 다시 끊어주세요."

엑스레이를 보며 의사선생님도 말했다.

"결핵 흔적이 있다고 제가 진단을 했습니다."

"선생님. 한 집안의 목숨이 걸렸습니다. 제발 진단서를 다시 써주세요. 이 정도면 근무할 수 있다고 고쳐주세요."

얼마나 사정을 했던지 의사가 혀를 내둘렀다.

"아니, 친동생도 아니시라면서 정말 대단하십니다."

그러면서 진단서를 고쳐 써주었다. 근무하는데 지장이 없다는 내용이었다. 하지만 이미 불합격 통지를 받았기에 다시 그 진단서를 가져간들 효력이 있을 것 같지 않았다.

그때 나는 예전 교회에서 함께 활동했던 친구 남편이 포항제철에 다닌다는 사실이 떠올랐다. 지켜보았을 때 능력도 있으시고 믿음도 좋은 분이었다. 게다가 친절했다. 그분을 찾아가 부탁하면 어떨까 싶어 무작정 찾아갔다.

"집사님, 이러이러한 일로 왔습니다. 한 집안을 살리는 셈치고 좀 도와주세요."

듣고 있던 집사님은 고개를 끄덕였다.

"자기 일도 아니고 남을 위해 이렇게 애쓰시는데 제가 회사에 가서 말을 좀 해보겠습니다."

그분이 포철에 가서 정황을 이야기하고 어떻게 노력을 하셨는지 결국 동생은 합격통지를 받고 나에게 달려왔다.

2부. 하나님과의 만남

"누님, 합격이에요. 합격. 이 모든 게 누님 덕분이에요."

눈에서 뜨거운 눈물이 흐르며 나도 모르게 기도가 쏟아져 나왔다.

"하나님 감사합니다."

> 네가 고난 중에 부르짖으매 내가 너를 건졌고
> 우렛소리의 은밀한 곳에서 네게 응답하며
> 므리바 물가에서 너를 시험하였도다 (시 81:7)

그런데 나는 이렇게 일처리를 한 나 자신이 정말 한심스럽기도 했다. 무엇이 우선이고 어떤 순서를 밟아서 일을 처리해야 하는지도 모른 채 밑도 끝도 없이 눈앞의 상황에 매달려 닥치는 대로 매달리는 것이 나의 질긴 고집이다. 이것 때문에 사람들이 정말 힘들고 부담스러웠을 것을 안다.

그러나 나는 경험이 없고 실력이 없기에 하나님만 의지할 뿐이었다. 부모를 탓할 수도 있겠지만 그것보다 더한 것이 나를 이끈다고 생각했다. 하나님의 심오하고 깊은 은혜만이 모든 문제의 해결책이었다.

첫 집, 가장 큰 고통

●

"집 좋은 게 하나 있어요. 나한테서 사세요."

여기저기 집을 지어 판매해서 사업을 벌이시는 장로님이라고 나는 믿었다. 보여준 집을 보니 겉보기는 멀쩡하고 이제 곧 완공이 되면 괜찮을 것 같았다. 나는 금액이 부담이 되었다.

"돈이 좀 모자라요."

"걱정하지 마세요. 대출받아서 사면 됩니다. 일단 계약금을 내고 들어와 살면서 대출받아서 잔금 치르고 명의를 이전하면 되지요. 그까짓 거 제가 건축업자 아닙니까? 이쪽은 저를 믿고 맡기세요."

언제나 가난했던 우리 집의 소원은 셋방살이를 벗어나 번듯한 집에서 사는 것이었다. 남편은 해외에서 열심히 돈을 벌어서 보내왔다. 그 정도면 새로운 집을 장만해볼 만한 기회가 생긴 거였다. 물론 내가 불쌍하고 어려운 사람을 보면 다 줘버리긴 했으나 잘하면 집을 살 것 같다는 생각을 하기도 했다. 남편은 일 년에 한 번씩 휴가 겸 와가지고는 술 먹고 싸우다 다시 가곤 했다.

그해 여름에도 남편은 돌아왔다. 내가 교회의 집사님 가정을 도와주고 있다는 말을 듣자 남편은 소리부터 고래고래 질렀다.

"아니 지금 내 코가 석자인데 누구 집을 돌본다는 거야!"

남편이 그동안 나에게 화를 낸 것은 내가 납득할 수 없이 일방적으로 당하는 일이었다. 그러나 이번에 화내는 것은 나도 이해가 되었다. 힘들게 번 돈을 다른 식구들에게 주고 있으니 내가 남편이어도 참을 수 없을 것 같았기 때문이다.

남편의 화를 간신히 가라앉히고 나는 생각했다. 그 무더운 나라에서 땀흘려가며 힘들게 일해서 번 돈을 우리 아이들에게 쓰는 것도 아니고 교회에 바치고 다른 집에 주고 있으니 얼마나 화가 났을까. 이해가 안 되는 것이 아니다. 휴가를 마치고 돌아갈 때 남편은 한 번 더 당부했다.

"피땀 흘려 번 돈이다. 제발 좀 아껴 써라."

남편이 돌아간 뒤 나는 마음이 편하지 않았다. 틀린 말이 아니었기 때문이고 나에게는 세 명의 아이가 있었기 때문이다. 잠을 잘 잘 수가 없었다. 어리석은 나의 행동이라고 생각을 하니 미안하고 온통 고개를 들 수가 없었기 때문이다.

천방지축으로 가정도 돌보지 못했던 나였다. 아이들과 남편에게도 미안한 마음이 들어 정말 가정을 위해 애써야겠다고 생각했다. 그날 이후 나는 악착같이 돈을 아끼고 남편이 보내오는 돈을 모아서 목돈을 마련하기 시작했다. 나의 소원은 집을 하나 장만하는 거였다.

'꼭 집을 하나 사야 되겠어. 그 집에서 우리 아이들과 함께 쫓겨날 염려 없이 행복하게 사는 거야.'

점점 돈이 모이자 꿈이 이루어질 것만 같아 가슴이 설레었다. 내가 집을 사고 싶다고 말을 하자 같은 교회에 건축업을 하는 장로님이 나에게 대출받도록 도와 줄테니 자신이 직접 지은 집을 보여주면서 계약을 하자고 했다.

같은 하나님을 섬기는 분이니 그 말이 틀린 거 같지도 않았다. 나는 집을 구입해서 일단 아이들과 함께 이사를 가기로 결심을 했다. 그러나 가슴 설레며 집에 가보니 집은 온통 부실공사 투성이었다. 겨울에 지은 집인데 여기저기 마감도 되지 않았고, 천장에서 비가 새는 것이었다. 물론 새집을 지어도 손볼 곳이 조금씩은 있다지만 형편이 안좋은 처지에 돈을 들여 집을 수리할 수가 없었다. 잘 알아보지도 않고 손봐야 될 곳이 많은 집을 덜컥 장만한 내가 너무나도 한심스러웠다. 속상해 울기도 많이 울었지만 할 수 있는 게 없었다. 돈을 탈탈 털어 집을 장만했기 때문이다. 좀 더 돈을 모아 여유 있게 집을 고르면서 샀어야 하는데 뭐가 그리 급하다고 집을 샀는지 어리석은 행동이었다. 예수님 섬기는 사람은 다 선하고 좋은 줄로만 알고 있던 나의 실수였다. 그러나 장로님을 믿고 의지할 수밖에 없었다.

"걱정하지 마세요. 제가 모든 걸 다 알아서 해드릴게요."

나는 그 말만 믿고 계약을 했고 고쳐준다는 말만 학수고대했다. 그래도 새 집을 장만해서 이사를 간다니까 좋았다. 아무것도 없는 집에 덩그러니 들어가 있다 보니 집이라는 것이 뼈대만 있다고 집이 아니었다. 안에는 살림살이가 있어야 했고 사람 사는 온기가 돌아야 했다. 그저 집에 들어가면 위축되고 속만 상할 뿐이었다. 그래도 그때는 장로님을 믿었기 때문에 시간이 지나면 해결될 거라고 확신했다.

드디어 대출을 받아서 집을 명의 이전해야 할 때가 되었다. 장로님을 찾아가 물었다.

"장로님 대출받아야 되는데 어떻게 해야 할까요?"

그 얘기를 듣자 장로님은 펄쩍 뛰는 것이었다.

"내가 언제 대출해 준다고 했습니까? 거 사람 잡는 소리 하지 마세요. 빨리 중도금 내주셔야 되고 잔금까지 주셔야 됩니다."

"네? 장로님 분명히 다 알아서 해주신다고 하셨잖아요."

"그런 소리 하지 마세요. 집장사가 어떻게 그걸 다 알아서 해

드립니까? 집주인이 알아서 은행에 가서 대출도 받는 거지.”

부실하고 재산가치가 없는 집을 나에게 강매한 거나 마찬가지였다. 은행대출을 받을 수가 없었다. 무리해서 집을 샀는데 이렇게 책임회피하는 장로님을 보며 나는 너무나 큰 배신감에 하늘이 무너지는 것만 같았다. 슬픔에서 빠져나오지 못해 맨날 울기만 했다. 해외에서 일하는 남편이 이 사실을 알면 모아 놓은 돈을 다 날리고 집도 엉망인 것을 샀다고 화낼 것이 불을 보듯 뻔했다. 나는 할 수 없이 급한 돈을 메꾸기 위해 일숫돈을 빌렸다. 세상물정도 모르고 남편도 없는 상황에서 집을 형편도 안 되게 장만해버린 내가 정말 원망스러웠다. 생활비도 없어 빚에 허덕이며 일숫돈을 쓰게 되는 나 자신이 한심하고 초라할 뿐이었다. 월급 가지고 해결이 되지 않았다.

결국 빚에 시달리다 집을 팔아버렸다. 그러나 집을 팔아도 빚은 이자에 이자를 물어 감당할 수가 없었다. 결국 우리는 한 칸짜리 방에 다시 돌아가 전전긍긍하며 월세를 못 내면 다음 방을 옮겨가고 다음 방을 찾아다니는 구차한 살림살이를 시작했다. 이제와 얘기지만 거의 25년 동안 서른 번이 넘는 이사를 했다. 일 년에 두 번씩 이사를 하니 아이들은 정서가 불안하고 자기 물건에 대한 애착도 없을 뿐만 아니라 항상 말수가 줄어들어 엄마를 믿지 않게 되었다. 불안에 떠는 눈동자를 보면 내가 죄인이라는 생각을 하게 되었다. 신기루처럼 행복을 꿈꿨던 집이 날

아가 버리자 나에게는 빚만 남았다. 이걸 더 이상 남편에게 숨길 수가 없었다. 모든 사실을 편지로 써서 알렸다.

'잘해보려고 집을 샀는데요. 속아서 집도 못 지키고 빚만 잔뜩 졌어요.'

남편에게서 뭐라고 답장이 올까 조마조마했는데 남편에게서는 의외의 편지가 왔다.

'그냥 아이들이나 잘 키웠으면 좋겠소. 무리하지 마시오. 얼마나 상심했겠소.'

이일 이후 나에게는 많은 빚이 남아 있었다. 일숫돈을 갚기가 너무 벅차 주변 사람에게 계속 돈을 꾸어서 돌려막기를 했다. 그때만 해도 내가 순진하고 딴 생각하지 않는 사람이라는 것을 교인들은 알고 있었다. 순한 성격에 교회도 열심히 다니니까 모두들 안쓰러워했다.

"권집사는 너무 불쌍해."

"사람이 착하다보니까 그렇게 된 거야."

나의 처지를 이해해주려는 사람도 많았다. 그래서 돈이 급하면 쉽게 빌려주었다. 그러나 돌려막기를 하면서 빚이 없어지는 게 아니라 점점 불어나니 약속한 시간에 돈을 갚지 못하게 되는 악순환이 벌어졌다. 처음에 돌려주겠다고 약속한 날에 돈을 갚지 못하게 되니 사람들은 나를 점점 불신하게 되었다. 나를 미워하거나 만나도 쳐다보지도 않는 사람이 생겼다. 심지어는 빨리 돈 갚으라고 험한 말을 하는 사람도 있었다. 돈이라는 것이 이렇게 사람을 원수로 만들 수도 있다는 걸 그때 처음 알았다.

교회에서는 어느 순간부터 나는 빚쟁이에 사기꾼이라는 소문이 돌았다. 빚 때문에 아이들까지 눈치를 보며 동네를 전전했다. 그러다보니 조금만 시간이 지나면 싼 방을 찾아 옮겨 다녀야만 했다. 남편은 고국에 돌아와서도 술에만 의지하며 아이들은 아이들대로 엄마를 원망했다.

"엄마 때문에 우린 뭐야? 딴 사람들은 아파트에도 살고 좋은 집에서 살고 있는데, 우리는 맨날 셋방에만 돌아다니잖아."

이런 원망을 들어도 나는 쌌다. 한 번도 나의 이익을 위해서 살아온 적이 없고 의심하지 않고 남의 말을 믿었을 뿐이었다. 꾀부리지 않고 열심히 살았을 뿐인데 이런 일이 벌어지니 나는 너무나 억울했다. 가슴을 치며 통곡하는 일이 매일매일 반복되었다.

그렇게 눈물을 삼키며 나를 위로하고 기도하며 버텼다. 그러자 나에게 유일한 위로의 목소리가 들려왔다.

"사랑하는 딸아, 힘들지? 내가 네 마음을 알고 있느니라."

하나님의 위로가 피부로 와 닿지 않았고 꿀처럼 달콤하게 느껴지진 않았지만 보이지 않는 사랑을 나는 아련하게 느낄 수 있었다. 나에게는 세 명의 자녀가 있었기 때문에 이 아이들을 위해서라도 힘을 내려고 노력했다.

그 무렵 우리는 공장에 있는 폐가에서 살게 되었다. 화장실도 없는 곳이어서 화장실 갈 일이 생기면 교회까지 가서 이용해야 했다. 어느날 막내아들이 사춘기가 시작되자 가출을 해버렸다. 그 가출은 나에게 큰 충격을 주었다. 교회에도 잘 가고 잘 웃는 아들이었는데 얼마나 힘들었으면 마음속에 꼭꼭 담아두고 있다가 가출이라는 행동으로 옮겼을까 생각하니 나는 마지막 버티던 안간힘까지도 끊어지는 느낌이었다. 남편과 형님, 그리고 동네 사람들과 교인들이 모두 나를 죽일 것만 같은 공포가 엄습했다. 집에 혼자 있으면 두려움에 교회로 도망가기 바빴다. 어느날에는 귀신이 보이더니 나를 어딘가로 끌고 가는 것 같았다.

"살려줘요! 살려줘요!"

소리 지르며 도망가려고 발버둥 치는데도 정신을 차리고 보면 맨발로 밖에 나가 미친 여자처럼 울부짖고 있는 나 자신을 발견했다.

해 뜨기 직전의 어두움

●

　나의 극도의 불안감과 초조함은 귀신들에게 홀린 듯 동네를 이리저리 방황하며 다니게 만들었다. 미친 행동을 반복하니 주위 사람들이 걱정을 많이 했다. 집사님 한분이 나에게 다가와 조심스럽게 권하는 거였다.

　"권집사님, 정신병원에 한번 같이 가요. 제가 같이 가 드릴게요."

　나는 무엇에라도 매달리고 싶은 심정이었다.

　정신과에 갔더니 의사는 나를 보자 어려서부터 살아온 이야기를 물어보는 거였다.

　"성장과정을 좀 말해주세요. 어떻게 살아오셨기에 그런가요?"

　그러나 나는 대답할 수가 없었다. 기억나는 것도 없었다. 힘이

들고 말하는 것조차도 싫었다. 게다가 처음 보는 정신과 의사에게 구구절절이 살아온 이러한 이야기를 할 수가 없었다. 자존심이 허락하지 않는 것이었다. 지친 마음에 짧게 상담을 하고 집으로 돌아오고 말았다. 그러나 집에 돌아온다고 해결되는 것은 아무것도 없었다. 불안과 초조함이 엄습해 오자 나는 다시 신경정신과에 찾아갔다. 의사선생을 붙잡고 말했다.

"어려서부터 아버지가 안 계셨어요. 그렇게 살다 보니 내가 가장 슬프고 외로웠던 건 아버지가 없는 거였습니다."

의사는 고개를 끄덕였다. 아무런 말도 하지 않았다. 그 한 마디로 내가 얼마나 힘들게 살아왔는지를 이해하는 것 같았다.

"앞으로 어떻게 하실 겁니까?"

의사가 물었다. 나는 뭐라 말할 수가 없었다. 의사는 약을 좀 먹어보라고 권해주었다. 정신분열이 온 것 같다고 했다.

모든 것을 포기하고 약을 먹었다. 다행히 약은 효과가 좀 있었다. 약을 먹으면 멍해지면서 모든 생각이 다 지워진다. 만사가 귀찮고 몽롱한 상태로 지내게 되니 안정감이 생기게 되었다. 저녁때가 되면 교회에 가서 철야로 통곡하며 기도할 뿐이었다.

"하나님, 저를 도와주세요. 제가 너무 힘이 들고 지치네요."

거의 매일 철야기도를 하며 교회에서 밤을 지새웠지만 가끔 집에서 아이들과 자게 되는 날이면 반드시 가위에 눌렸다. 커다란 괴물이 나를 올라타고 짓눌렀다. 매번 이러니 잠을 잘 수도 없고, 번번이 소리 지르며 깨어 아이들까지도 놀라게 하는 거였다.

"엄마 여기."

보다 못한 큰딸이 성경책을 내밀었다. 그 성경책을 받아들자 갑자기 마음에 안도감이 찾아왔다. 그 뒤로 나는 머리맡에 성경책을 두고 잠을 자는 습관을 가지게 되었다. 그러던 어느 날 배가 아파오기 시작했다. 숨을 쉬지 못할 정도로 배가 아팠다. 화장실에 가서 소변을 보니 피가 나와 겁이 덜컥 났다. 아픈 배를 움켜쥐고 병원에 달려갔다. 검사해본 의사가 말했다.

"자궁에 큰 혹 덩어리가 있습니다. 지금 당장 수술하지 않으면 자궁암으로 번질 수가 있어요."

결국 나는 30대 중반의 젊은 나이에 자궁을 들어내는 수술을 하고 말았다. 여자로서의 생명이 끝나는 거였지만 가족을 두고 죽을 수는 없는 노릇이었다. 당시 남편은 여전히 해외에 가 있었다. 의지할 사람없이 결국 그렇게 해서 수술을 감당해냈다.

어느날 머리가 아파오기 시작했다. 음식도 먹지 못하고 소화 능력이 떨어져 매일 헛구역질만 해댔다. 고통의 끝이 어딘지 알 수 없었다. 내과에서 신경성위장병이라고 진단을 내려 처방해준 약을 먹었으나 낫지를 않았다. 살만 쪽쪽 빠져 뼈만 남은 상태로 되어가고 있었다. 참담한 마음으로 다시 정신과를 찾았다. 나의 상태를 본 의사는 말했다.

"정신과 병원에 좀 입원하셔서 요양하시는 게 어떻겠습니까?"

그러나 나는 입원하고 싶은 마음이 없었다. 아이들 때문이었다.

"아니요. 입원하고 싶지 않습니다."

"그러면 약이라도 드셔야 되겠습니다."

정신과에서 받아온 약을 결국 또 먹기 시작했다. 잠시 몽롱한 상태가 되면 잠을 잘 수도 있었다. 그러나 약이 너무 독했는지 위가 뒤틀리고 아파오기 시작하는 것이었다. 명치끝을 누군가가 끌로 뜯어내는 것만 같아 견딜 수가 없었다. 안 그래도 약한 위가 더 망가졌다. 이뿐만이 아니라 심장병에 피부병에 허리디스크까지 온통 육체적인 고통이 나를 엄습했다. 아이들 때문에 이러지도 저러지도 못하며 아파서 견딜 수 없는 삶을 이어나갔다.

"아, 딱 죽었으면 좋겠어. 죽었으면 좋겠어."

죽지도 못하고 살지도 못하는 삶이 이어졌다. 하지만 이런 나의 아픔에 남편은 물론이고 자녀들도 별로 관심을 가져주지 않았다. 결국 내가 매달릴 곳은 하나뿐이었다. 기도원이든 어디든 오가는 곳이 있으면 갔다. 하루 종일 눈만 뜨면 기도하고 또 기도했다. 외로움과 고독이 밀려와 삶을 포기하려 해도 아이들 때문에 눈을 감을 수가 없었다.

"예수님 살려주세요. 아이들 때문에 저는 살아야 됩니다. 살려주세요."

공부를 하기 위한 또 다른 시련

나는 수많은 집회를 쫓아다녔다. 많은 믿음의 사역자들에게 고민을 털어놓으면 그들은 똑같이 말을 해주었다.

"이야기를 듣고 보니 권집사는 주의 길로 가야겠어요."

또 다른 사역자는 이렇게 말했다.

"권집사, 하나님이 수도 없는 고난을 주신 건 다 이유가 있으니까 주의 길로 가세요. 하고자 하는 뜻이 있으면 주님께서 반드시 도와주실 거예요."

여기저기에서 나는 주의 길로 가라는 거였다. 그러나 주의 길이 어떤 것이기에 내가 그길로 가야 한다는 것인지는 알 수가 없고 막연하기만 했다. 누가 구체적으로 손잡아 이끌어주지 않았던 것이다.

"돈이 없을 뿐 아니라 온몸이 지쳐 있어 아무런 의욕도 없고 현실적으로 먹고 사는 것도 어려운데 무슨 신학을…"

그러면 사역자들은 또 이렇게 말했다.

"등록금 걱정도 하나님에게 맡겨보세요. 일단 등록을 하면 어떤 식으로든 공부를 하게 될 거예요."

친구의 도움을 통해서 성서신학원에서 신학 공부를 하게 되었다. 그러나 현실은 당장 변하지 않았다. 그곳에서 공부를 하려니 고통과 괴로움이 두 배로 느는 것만 같았다. 내가 할 수 있는 기도에 더욱 열심히 매달렸다. 하지만 상황은 안 좋아져서 빚 때문에 월세 집을 전전하게 되었고 전보다 더한 가난으로 힘들어졌다.

그때 중동에서는 전쟁이 일어나 일거리가 없었다. 수많은 기술을 가지고 있는 유능한 남편이지만 전쟁으로 일 자체가 없는 것에는 방법이 없었다. 게다가 아이들은 학교도 다녀야 했고, 이것저것 빚은 산더미처럼 쌓여만 갔다. 그때 마침 부산에 있는 어떤 집사님이 교회 부흥회에 간증을 하러 오셨다. 그 집사님에게 상담을 했더니 나의 이야기를 들은 후, '권집사는 복이 다 와 있다.'고 사업을 하라는 권유를 하는 거였다.

그 말을 듣는 순간 돈을 벌어야 빚도 갚고 생활하는데 도움이 될 것 같다는 생각이 들어 그래서 남편과 의논해서 장사를 시작하기로 했다. 교회 어느 집사님 부부가 하는 부식 가게인데 갑자기 남편 집사님이 돌아가시는 바람에 가게를 넘기겠다고 해서 가게를 인수하기로 결심했다. 부식가게인데 쌀 방앗간도 하고 과일도 팔던 가게였다. 장사도 잘 되던 가게라 이곳저곳에서 빚을 내어 시작을 하게 되었다. 모자라는 돈은 집사님이 차차 벌어 갚으라고 하면서 장사 경험이 없으니 처음 한두 달은 도와준다고 해서 시작을 하게 되었다. 하지만 막상 시작을 하고 나니 생각 외로 장사가 잘 되지 않았다. 더군다나 나의 퍼주는 성격이 한몫을 했다.

"아줌마 사과 두 개만 주세요."

오백 원을 주고 사과 두 개를 사면 나는 기분이 좋아 하나를 더 얹어주었다.

"하나 더 드릴게요."

"아니 두 개 사는데 하나 더 주시면 어떻게 해요?"

"그냥 기분이에요."

손님들이 올 때마다 조금씩이라도 더 주는 푼수 없는 장사를 하게 되었다. 예를 들어 남들이 사과 하나를 주면 둘을 갖다 줘야 마음이 편해지는 성격이었다. 장사라는 게 이익을 남겨야 하는데 원래부터 남에게 뭔가를 주는 것을 좋아하는 성격이라 그냥 그렇게 동네 사람들에게 퍼주는 식으로 장사를 하기 시작한 거다. 이익은 뒷전이니 장사가 될 리가 없었다. 장사 경험도 없고 빚을 내서 하다 보니 달러 일수까지 쓰게 되어 빚은 계속 늘어났다. 겨우겨우 유지를 했는데 교회 집사님 한분이 우리 가게 옆에 똑같은 부식가게를 차려버렸다. 아무리 경쟁이라지만 상도의도 없고 같은 교회의 교인으로서의 배려나 신의도 없는 행동이었다.

경쟁하는 업체들이 제일 먼저 하는 일은 가격을 후려치는 거였다. 둘 중 하나가 죽어야 자기가 살기 때문이다. 그렇게 되자 손님들은 갑자기 그 가게로 몰려갔다. 손님이 뚝 끊긴 것이다. 수익이 생기지 않자 매일매일 벌어 갚던 빚도 못 갚게 되었다. 가게를 판 집사님이 처음과 달리 쌀쌀맞은 태도를 보이기 시작했다.

"아니, 돈을 좀 갚아야 될 것 아닙니까?"

쌀쌀맞은 태도에 나는 당황스러웠다. 정말 그분을 믿고 장사를 시작한 것인데 돌변하는 모습을 보면서 말문이 막힐 뿐이었다. 갑자기 달라진 태도에 나는 상처를 입고 반년도 못 되어 가게를 접어 버렸다. 학교에 다니면서 밤에는 학교 공부를 하고 낮에는 부식을 팔면서 생활을 해보겠다는 나의 생각은 무참히 실패로 끝났다. 나 자신을 탓할 수밖에 없었다. 이렇게 저렇게 정리하고 보니 무려 빚이 1억이나 되는 것이었다. 이도저도 못하는 거지꼴이 되어 버렸다.

사채까지 끌어서 사용했는데 빚을 전혀 갚을 수 없는 상황이 되었다. 동네 사람들도 수군거리기 시작했다. 빚 독촉으로 인해 고향처럼 지내던 동네에서 도망 나오듯 이사를 하게 되었다. 새로 이사 간 곳은 역시 좁은 방이 연결되는 두 칸짜리 월세 방이었다. 좁은 방 두 칸에 다 커서 어른이 된 두 아들과 큰딸이 함께 산다는 것이 보통 숨 막히는 일이 아니었다.

남편은 다시 한국과 외국을 번갈아 다니면서 일을 했다. 남편은 공장이나 큰 건물을 도면하는 도면사였다. 누구보다도 성실한 사람이었다. 한국에서도 현장을 다니느라 객지를 떠돌았기에 가족들과 떨어져 사는 날이 많았다. 남편이 꾸준히 벌어서 보내주는 돈으로 빚을 갚는 건 부족했다. 설상가상으로 내가 남에게 베풀고 다 써버린다는 걸 알기 때문에 남편은 그나마 보내주는 생활비도 끊어버렸다. 묵묵한 큰 아들은 자기가 알아서 아르바이트를 해서 돈을 벌어왔다. 큰딸도 또한 막내도 함께 아르바이트를 하면서 근근이 하루를 버텼다. 나 또한 근근이 신학 공부를 이어 나갔다.

그런데 고난은 여기서 끝이 아니었다. 어느 날 막내아들이 일하는 공장에서 그만 손가락이 기계에 빨려 들어가는 사고를 겪은 것이다. 하늘이 무너지는 심정으로 달려가 보니 그나마 손가락 한 마디 끝이 절단되는 사고를 당해 병원에서 접합수술을 하게 되었다. 금쪽같은 새끼의 손가락이 하나라도 다치는 것은 하늘이 무너지는 일이었지만 이 정도면 다행이라고 내 마음을 쓰다듬었다. 나로 인해서 자식들까지 힘들게 사는 것이라 생각하니 병실밖에 나와서 얼마나 울었는지 모른다. 지지리도 복이 없는 인생을 탓하면서 수술을 마친 뒤 마취약에 취해 잠들어 있는 아들을 쳐다보며 미안하다는 말을 수없이 반복했다.

아들은 그렇게 한 달 동안이나 입원을 해야 했다.

학교를 다니면서도 등록금과 빚을 해결해야만 했던 나는 아들의 간호를 뒤로한 채 일을 할 수밖에 없었다. 아들이 너무 안쓰러웠던 터라 나를 누나라고 불렀던 가정의 집사님에게 전화를 걸어 도움을 요청했다. 그런데 뜻밖의 반응을 하는 것이었다.

"왜 전화했어? 교인들이 알면 창피하니까 다시는 전화하지 마!"

이런 말을 하며 차갑게 나를 대하는 것이었다. 그때 받은 충격은 이루 말할 수가 없었다. 수 년 동안 남편의 월급을 자식들한테도 안 쓰고 집사님의 가족을 위해 다 헌신하고 아이들 네 명의 직장까지 동분서주해서 얻어주었으며 누구보다 집사님의 가족을 사랑하며 섬겼는데 그렇게 냉정하게 등을 돌리는 모습에 엄청난 모욕과 배신감을 느꼈다.

가난한 내 현실이 비참하고 비참해서 나를 외면했던 그 가정이 너무나 원망스러웠지만 내가 할 수 있는 거라고는 예수님께 소리치고 부르짖는 일 뿐이었다.

"예수님 도와주세요. 어쩜 이럴 수가 있나요? 그 동안 베풀었던 선한 일이 다 보잘 것 없는 일이 되고 말았어요."

답답해서 죽고 싶은 심정이었던 나에게 예수님의 보답은 다른 식으로 나타났다. 아들에게 보상금 7백만 원이 나온 것이다. 아들의 손가락 한 마디와 바꾼 금쪽같은 돈이었다. 그러나 그 돈을 아들을 위해서 쓰기에는 너무나 빚과 쪼들림이 심했다. 월세를 갚아야 하고 빚도 갚아야 했다. 하지만 가장 급한 월세를 먼저 해결했다. 월세를 해결했다는 안도감은 있었지만 아들 손가락을 생각하면 얼마나 가슴이 아팠는지 모른다. 자녀들이 그렇게 부모들을 통해 겪지 말아야 하는 아픔들을 겪어야 한다는 것을 생각하니 부모 가슴에 피멍이 든다는 말뜻을 이해할 것 같았다.

무리들은 나를 향하여 입을 크게 벌리며 나를 모욕하여
뺨을 치며 함께 모여 나를 대적하는구나 (욥 16:10)

책 한 권 못 사고

오랜 고민 끝에 나는 서울의 언니에게 전화를 걸었다. 한참 만에 언니는 전화를 받았다.

"언니 나야."

"그래 잘 있었니?"

이런저런 안부를 묻고 나서 나는 언니에게 용건을 말했다.

언니 나 성경 주석 책 좀 사게 돈 좀 빌려주면 안 되겠어?"

"뭐? 미친년 꼴값 떨고 있네! 말도 안 되는 소리 지껄이고 있네! 당장 전화 끊어!"

"언니, 그러지 말고 오십만 원만 빌려주면 안 되겠어?"

다시 한 번 나는 언니에게 매달렸다. 그랬더니 언니는 헛기침까지 하면서 말했다.

"아이고, 별꼴이야! 진짜 웃기는 소리 하고 있네. 너 제발 정신 좀 차려!"

언니는 전화를 끊어버렸다. 전화를 끊고 나자 나는 너무나 정신이 나가서 멍해졌다. 믿었던 언니까지도 내가 책을 사서 공부를 하겠다는데 이렇게 모질게 전화를 끊는 것이다. 나중에 알고 보니 큰언니는 넉넉한 삶을 살아 얼마든지 나를 도와줄 수 있었지만 남편과 결혼해서 사는 것도 반대했고 그러면서 아주 나쁜 사이비종교의 광신도가 된 줄로만 알았다고 했다. 그래서 일부러 더 모질게 굴었다는 것이다. 그도 그럴 것이 예수님을 안 뒤 정말 나는 광신도처럼 신앙에 매달렸다. 언니의 생각을 이해할 수 있었다.

신학교에 가도 책 한 권 사볼 형편이 되질 않으니 책 없이 멍하니 앉아 있을 때가 많았다. 책을 보면서 질문도 하고 책의 주요 내용은 밑줄도 치며 노트에 옮겨 적는 것이 공부다. 그런데 아무리 좋은 강의여도 듣고 흘려버리니 머리에 남을 리가 없었다. 게다가 낮은 자존감으로 공부한다고 앉아 있지만 나 스스로가 비참하기 짝이 없었다. 그런 환경에 처했기 때문에 주의 길을 선택한다 해도 별다른 변화가 있을 것 같지 않았다. 내가 할 수 있는 일은 오로지 교회에 앉아 눈물로 기도하는 일뿐이었다.

"하나님, 저의 길을 이끌어 주세요. 제가 할 수 있는 것은 기도

밖에 없습니다."

신학교에도 동기생은 있기 마련이었다. 동기생은 같은 시기에 공부를 시작했다는 인연만으로도 서로 배려해주고 생각해주는 것이 달랐다. 동기 전도사님들 중에서도 특별히 등록금을 대주시는 분도 있었다. 나는 아는 것이 별로 없었고 그때 당시 환경이 너무 힘들어 우울증까지 앓고 있었기 때문에 시험을 준비하거나 리포트를 쓸 엄두도 내지 못했다. 하지만 주변 동기생들이 시험 볼 때 시험 볼 수 있도록 도와주고 리포트 쓰는 것도 도와주기도 했다. 특별히 생각나는 분은 포항제철소에 다니던 어느 장로님이다. 이분을 통해서 시험 볼 때 리포트 쓸 때도 많은 도움을 받게 되었다.

언제 한번은 장로님이 근무하는 곳에 방문해 주면 나에게 줄 것이 있다고 했다. 주신다는 것이 무엇인지 궁금하기도 하고 장로님의 친절함 때문에 회사에 찾아가게 되었다. 장로님이 나를 반가이 맞이 해주시면서 구내식당에서 맛있는 식사를 대접해 주시고 나서 회사에서 나온 러닝셔츠와 양말을 남편 갖다 주라고 선물까지도 챙겨 주셨다. 뿐만 아니라 신학교 등록금도 마련해 주시기도 했다. 외롭고 의지할 데 없는 나에게 장로님의 호의가 말로 표현할 수 없을 만큼 감사하고 눈물이 핑 돌았다. 사업으로 인해 너무 상황이 힘들고 어려워서 학비 낼 엄두가 안 났지만 어려운 고비에서도 하나님은 이런 좋은 분들을 만나게 하셔서 위기를 잘 넘기게 해 주셨다. 드디어 우여곡절 속에 신학교를 마치고 졸업 때가 왔다. 엉뚱하게도 학교 측에서는 한복을 입고 졸업식을 나오라고 했다. 하지만 한복 값 3만 원이 나에겐 없었다. 졸업식에 한복을 입고 와서 사진을 찍고 졸업장도 들고 동료들과 함께 즐거운 시간을 보내야 하는데, 2년간 애쓰고 고생했던 보람을 그때 만끽해야 하는데 나는 한복을 구하지 못했다. 아쉬운 대로 주변에 한복이 없다고 얘기했으면 등록금도 구해주신 분들인데 한복을 못해줄 리 없었겠지만 나는 유난히 자존감이 낮았다.

'등록금 신세도 졌는데 어떻게 한복까지 입겠어. 도저히 사람의 얼굴로 할 수 없는 짓이야.'

부끄러운 마음에 도움도 받지 못하고 결국 나는 인생의 가장 아름다운 순간을 놓쳐버리고 말았다. 그렇게 전도사시절에 워낙 가난해서 책 한 권도 제대로 보지 못하니 누군가가 설교를 부탁하면 겁이 나고 두려웠다. 성경을 수도 없이 읽었지만 각주를 모르니 이해하지 못하고 넘어가야 하는 내 자신이 한심하고 답답했다. 부끄러워 참 많이 울기도 했다. 그래도 부족하고 낮은 나는 주님이 주신 사역을 포기할 수는 없었다. 그것이 있기에 내가 있었고 그것으로 버텨온 삶이었기 때문이다.

주의 길

Healing

사역의 시작과 포기

●

"전도사님 탁구해요."

아이들이 나에게 탁구채를 건넸다. 운동신경이 빵점인 나였지만 기꺼이 아이들과 함께 탁구대에 마주섰다. 가벼운 공이 날아오면 몸은 따라가서 받아 올리지만 마음처럼 되지 않았다. 간신히 퍼서 올리면 아이들은 배꼽을 잡고 웃었다.

"전도사님 밥 푸시는 거예요? 깔깔깔깔!"

내 행동을 따라하며 아이들은 웃었다. 그러면 나는 아이들에게 웃음을 줬다는 생각에 멋쩍게 웃곤 했다.

동기생이 어느 날 나에게 고신 측 교단에 소속되어 있는 십대들의 둥지라는 곳에서 사역을 해보지 않겠냐고 물었다. 그곳은 어른도 있었지만 십대들이 많이 있는 교회였다. 전도사가 된 뒤 주변 교회 여기저기에서 초청이 들어오긴 했다. 하지만 십대들의 둥지라는 말을 듣자 나는 바로 그곳에 가서 사역을 하겠다고 결심했다.

지독한 가난 때문에 우리아이들에게 상처를 주었고 큰딸이 가출을 해서 큰 상처를 입은 기억이 떠올랐다. 집을 나오거나 상처를 입고 가정에 돌아가지 못한 아이들이 모여 있는 곳이 십대들의 둥지라는 말을 듣고 그곳에 가서 그들을 섬기기로 맘먹은 것이다. 뒤도 돌아보지 않고 그곳으로 간 나는 가길 정말 잘했다는 생각이 들었다. 신학교를 졸업하고 처음 간 교회라 그런지 긴장을 아주 많이 했었다. 나의 모습이 초라하기 그지없었을 뿐 아니라 담임목사님 눈치, 교인들 눈치를 보기 바빴다.

하지만 첫 사역지여서 잘해야겠다는 마음에 최선을 다해서 열심히 하려고 애를 썼다. 집과 거리가 멀었지만 교회에서 철야를 많이 하곤 했다. 그리고는 아침이면 집으로 돌아와 밥을 해주고 아이들을 학교에 보내거나 신변 정리를 한 후 잠시 쉬었다가 오후가 되면 다시 그곳으로 갔다. 그곳에 아이들을 만나 함께 어울리면서 탁구도 치고 같이 찬양도 했다. 찬양을 할 때는 노래도 잘 부르지 못하지만 아이들과 함께만 있으면 어찌 그리 자신감이 넘치고 당당했는지 모른다.

아이들은 노래도 못하는 내가 찬양하는 것을 보면 또 다시 배를 잡고 웃었다. 낙엽이 굴러가도 웃는 아이들이 아니던가. 열정이 넘치다보니 부끄러울 것도 없고 섭섭할 것도 없었다. 아이들과 함께 있다는 것만으로도 행복했기 때문이다. 어떤 사람은 간혹 내가 너무 열정적이라고 이상한 눈으로 바라보기도 했다.

그러나 나는 과거에 내가 어리석어서 우리 딸에게 상처를 주었다는 생각 때문에 이렇게라도 보상하고 싶었다. 상처받은 아이들을 돌보면 마치 조금이라도 죄가 씻기는 것만 같았다. 시간이 지날수록 나를 의심하던 사람들도 나를 존중해주고 서서히 마음을 열었다. 그래도 조금이라도 사람들에게 존중받을 수 있었던 것은 하나님에 대한 열정과 한 영혼을 위해 거짓 없이 다가가기 때문일 것이다. 이런 마음조차 없다면 나는 정말 이 세상에서 살아야 할 이유가 없었다.

십대들의 둥지에는 좋은 분들도 많았다. 나를 항상 도와주고 지원해주며 따뜻하게 대해주는 분을 만났다. 특별히 교회를 관리하시는 조집사님이었다. 이들 부부는 돈도 한 푼 받지 않고 진심으로 사역하는 나를 보고 뭐가 생길 때마다 조금씩 챙겨주셨다. 별 거 아니었지만 마음으로 주는 그 감동이 늘 나를 울컥하게 만들었다. 내가 지치고 힘들어할 때면 꼭 다가와 따뜻한 말을 건넸다.

"전도사님, 저희가 있잖아요. 힘내세요."

"고맙습니다."

"전도사님만 보면 저희도 마음이 아파요. 그렇지만 우리가 곁에 있으니까 용기를 내세요."

때로는 말로 때로는 쪽지로 전해주었다. 그런 쪽지를 읽으면 얼마나 위로가 되었는지 몰랐다. 늘 무시당하고 육체적으로나 정신적으로 힘든 전도사 시절이었지만 이들의 따뜻한 말 때문에 이를 악물고 사역을 이어나갔다.

그러던 어느 날 남편을 미워하는 것이 너무 죄책감이 들었다. 남편 하나 사랑하지 못하는 나 자신을 보면서 전도사 사역을 계속 감당할 자신이 없었다. 담임목사님을 찾아갔다.

"목사님, 도저히 이대로는 사역을 못할 것 같네요. 죄송하지만 남편과의 관계 때문에 기도원 좀 갔다 오겠습니다."

"며칠간 다녀 오실건가요?"

"사흘 정도 다녀오겠습니다."

"네 그렇게 하세요. 전도사님 위해서 기도하겠습니다."

나는 목사님께 허락을 받아 사역을 잠시 접어두고 기도원으로 향했다. 기도원에서 은사를 받으신 사모님과 상담을 했다. 상담을 했더니 30일 금식을 하라고 했다. 담임목사님께는 짧게 다녀온다고 했지만 너무 마음이 급해서인지 사역보다는 금식을 통해서 나의 문제를 해결하고 싶은 마음이 먼저 앞서버렸다. 그래서 30일 금식을 하기로 결심하고 첫날 금식을 시작했는데 오물 냄새가 올라왔다. 냄새 때문에 물을 마실 수가 없었다. 그래서 21일 동안 성경에 나오는 다니엘처럼 하루 세 번 기도하고 예배드리면서 21일 동안 물 한 모금 안마시고 금식을 해버렸다. 21일 금식을 끝낸 후 큰 손이 내 머리에 안수해 주는 그 느낌을 받았다.

"너는 사랑하는 딸이니라. 너는 내 종이니라. 내가 너를 사랑하노라."

어디선가 그런 음성이 들렸다. 그리고 돌아와 처음으로 남편에게 고백을 했다.

"여보, 사랑해요."

여보라고 부른 것은 그때가 처음이었다. 그냥 애들 아빠 혹은 딸아이의 이름을 부르며 아빠라고 그렇게만 불렀지만 그때 처음으로 여보라고 부르면서 "사랑해" 라고 고백을 했다.

"여보, 3일간만 내가 금식했던 기도원에 가서 기도 좀 하면 안 될까요?"

"난, 절대 갈 수 없소."

나는 21일 금식을 했기 때문에 많이 지쳐 있었다. 오산리 기도원으로 갔다. 오산리 기도원에서 남편에게 전화를 했다. 하루만이라도 나한테 와서 함께 기도했으면 좋겠다고 부탁을 해서 겨우 남편이 기도원에 왔다.

"여보, 고마워요. 하루만 여기서 머물고 가요. 부탁이에요."

하지만 남편은 버럭 화를 내며 오히려 더 아픈 상처를 나에게 남기고 가버렸다.

그순간 나는 사랑한다는 고백 그 한마디가 다 무너지는 것 같았다. 내가 걸었던 기대가 다 무너지고 말았다. 포기 상태였다. 사역까지 내려놓기로 작정했다. 자신감이 없었다. 21일을 물도 안 먹고 금식을 했는데 남편의 그 태도에 온 마음이 무너지는 것 같았다. 무너지는 마음을 달래면서 사역을 그만 둬야겠다고 결심을 했다. 예수님께서 40일 금식 기도 하시고 나서 마귀에게 시험받은 그 말씀을 나에게 해주셨지만 나는 마귀의 시험에 넘어지고 말았다.

큰애와 둘째는 생활전선에 뛰어들어 교회와 멀어지려는 것이 보였고 막내는 그나마 나처럼 하나님에게 의지하며 끝까지 최선을 다하는 것이 위안이 되었다. 아이들이 아르바이트를 해서 힘들게 방세를 모아오면 그걸로 한달 한달 근근이 넘어갔다. 그러면 그걸 보고 미안해하는 나는 함께 힘을 합치는 것이 아니라 교회에 가서 기도를 하며 아이들에게 미안함을 전하곤 했을 뿐이었다. 돌이켜보면 정말 무책임한 엄마가 아닐 수 없다. 그러나 이 또한 다 뜻이 있는 것이었음을 나중에 알게 되었다.

3부. 주의 길

광야에서

●

"엄마 밀린 방세 내세요."

큰딸이 힘들게 벌어온 돈을 삼십만 원이나 나에게 주었다. 방세를 내고 마음 놓고 안심하고 살라며 아이들이 이렇게 돈을 모아 주었다. 젊은 나이에 시간을 바쳐 벌어온 돈을 소중히 아껴써야 했지만 나는 돈만 보면 이 돈이 내 것이라는 생각이 들지않았다. 누군가에게 줘야 한다는 생각만 들뿐이었다. 무엇에 씌웠는지 무작정 그 돈을 가지고 집을 나와 나는 부산으로 향했다. 아이들도 내팽개친 채 이 교회 저 교회 집회마다 다니면서 기도를 하고 찬양한 뒤 그 돈을 헌금으로 몽땅 써버렸다. 그리고는이내 빈털터리가 되었다. 더 이상 갈 곳이 없었다. 아이들을 볼

면목이 없었다. 비참한 현실에 나는 죽어야겠다는 결심을 했다. 용두산 절벽으로 향했다.

"주님 저를 죽여 주세요. 저 같은 건 죽어야 됩니다. 누가 나를 잡아서 구덩이에 파묻었으면 좋겠어요!"

절벽 위에서 그냥 소리를 지르며 뛰어내리려 했지만 자살하려고 하니 두려움이 온몸을 사로잡았다. 너무나 무서웠다. 죽지도 못하면서 쇼를 하고 사람들에게 피해만 주는 나 자신이 너무 한심했다. 결국 발걸음을 돌려 내려오는데 배까지 고파왔다. 배고픔도 이겨내지 못하면서 죽겠다고 하는 내가 한심했다. 아까까지만 해도 죽으려던 내가 밤에 여기저기 앉아 있는 사람들을 보니 두려웠다. 거지꼴을 한 내가 한심했는지 어떤 사내 한 사람이 다가와 말을 건넸다.

"아줌마, 짜장면이라도 하나 사줄까요?"

그 순간 나는 비명을 질렀다.

"아아악!"

죽고 싶다고 기도했던 내가 살겠다고 비명을 지르니 나 자신이 너무 한심했다. 그날 용두산 공원에서 나는 정신 나간 여자처럼 통곡을 해버렸다.

새벽녘이 되었을 때 나는 노숙인들에게 밥을 주는 곳에서 기웃거릴 수밖에 없었다. 노숙인 한분이 나에게 말을 걸었다.

"아줌마, 밥 먹으려고 그래요? 날 따라오세요."

나는 너무 배가 고파서 노숙인을 따라갔다. 노숙인을 통해서 밥을 얻어 먹는 나의 처지가 너무 비참했다. 이제 집에 돌아갈 차비도 없는 빈털터리였다. 이 꼴로 아이들이 있는 곳에 가고 싶지도 않았다. 무시만 당하는 포항이 끔찍하게 싫었다.

'그래 이곳 부산에서 나도 살길을 찾는 거야. 아이들도 클 만큼 컸으니 엄마가 없는 게 차라리 도움이 될 거야. 있어봐야 돈이나 남에게 갖다 줘버리고 자격 없는 엄마일 뿐이야.' 나는 고심 끝에 일을 하기로 결심했다. 그래서 문을 두드린 곳은 직업소개소였다. 아이들을 남겨놓은 채 직업소개소에서 직업을 소개받아 작은 일을 시작했다.

집을 나왔으나 아이들은 엄마를 찾지 않았다. 각자 상처 입은 마음을 갖고 고통의 시간들을 견뎌내야만 했다. 아이들에겐 죄인이라는 생각밖에 들지 않았다. 제일 처음 한 것이 파출부 일이었다. 빨래와 청소 그리고 음식까지 해주는 곳이었다. 힘들고 어려웠지만 목숨을 부지해야 했기에 어쩔 수가 없었다. 하루 종일 파출부로 일하는 것은 그렇게 쉬운 일은 아니었다.

"아줌마, 청소를 왜 이렇게 했어요? 구석구석 먼지 하나 없이 닦아야죠."

"죄송합니다. 더 깨끗하게 닦아 놓을게요."

"아줌마, 음식이 맛이 없네."

"죄송합니다. 입맛에 더 맞추도록 노력할게요."

이리 저리 주인의 기대를 맞추기 힘들어 잔소리를 견뎌내야 하는 고통이 뒤따랐다. 하루 종일 일하고 갈 곳이 없어 역 주변에서 노숙자들처럼 밤을 지샌 적도 많았다. 하루 일당 2만 원을 받으면 때로는 여인숙에 들어가기도 했다. 여인숙비 하루 1만 3천 원 주고 나면 일자리가 없을 때는 7천으로 며칠을 지내야 하기도 했다. IMF 시기여서 일자리 찾기가 쉽지 않았다. 그럴 때면 또 다시 역전에 노숙인들이 있는 곳으로 가야만 했다. 어떻게 해서든지 비참한 심정은 뒤로하고 하루하루 버텨 나가야만 했다.

어떤 때는 남자들이 공사판에서 벽돌 나르는 일, 모래를 삽으로 퍼 올리는 일, 빌딩 청소하는 일 등을 일용직 일자리를 알아주는 곳에서 소개 받아 하기도 했다. 하지만 공사판 일을 안 해봐서 서툴러서 그런지 일하다가도 쫓겨난 적이 한두 번이 아니었다.

그러다가 간병인 교육을 받을 기회가 있어 교육을 받고 환자를 간호하는 일도 해보았다. 환자들의 아픔이 안타까워서 간병하는 것이 아니라 먹고 살기 위해서 어쩔 수 없이 해야만 했다. 어떤 때는 정신과에 자진해서 들어가 간병 일을 했다. 정신과 환자들은 말 그대로 정신이 없기 때문에 때로는 간병하는 이들의 뺨을 때리기도 하고 끌어안기도 하고 이곳저곳 신체 부위를 만지려 할 때도 있어 수치스러운 일이 한두 번이 아니었다. 심지어 전신마비된 남자 환자를 간호할 때는 대, 소변을 받아내야 하기도 했다. 그들을 진심으로 대하기보다는 집을 나와 갈 곳이 없어 먹고 살기 위해 일하는 나 자신이 꼴불견스러워 자녀들한테도 하나님께도 죄송할 뿐이었다.

웃지 못 할 가장 기억에 남는 일이 있었다. 한번은 창녀들에게 밥해 주는 곳을 소개 받고 일을 하러 갔는데 어떤 아저씨가 건물 안쪽으로 데리고 갔다.

"아줌마, 저 따라오세요."

"네…."

벽 쪽에 문이 하나 있었다. 그 문을 열고 들어가니 어두컴컴한 곳이었다. 나는 그 순간 너무 놀라서 무릎을 꿇고 벌벌 떨면서 두 손으로 빌었다.

"아저씨, 살려주세요. 살려주세요."

"허참, 기가 막혀서... 이봐요. 아줌마, 청소하라고요. 청소! 아줌마 손끝 하나라도 안 건드릴테니깐 청소나 하세요. 정말 어이가 없네."

지금도 그때를 생각하면 웃음밖에 나오지 않는다.

한번은 정말 아찔한 순간도 있었다. 직업소개소를 통해서 남자들만 일하는 어느 섬에서 밥을 해주는 일을 소개받았다. 숙식도 된다고 하고 이판사판 갈 곳도 없고 해서 그곳에 가기로 결심을 하고 주인에게 연락을 했다.

"아저씨, 어디로 가면 돼요?"

"일단 내가 일러준 곳으로 오면 마중을 나갈게요."

몇 시간 버스를 타고 갔더니 주인이 나오지 않았다. 주인한테 전화를 했다.

"말한 장소에 도착했는데 이제 어디로 가야 되나요?"

"아, 아주머니 죄송한데 제가 급한 일이 있어서 나갈 수가 없는데 배타는 곳을 가르쳐 줄 테니 그쪽으로 오세요."

"네, 일단 알겠습니다."

나는 주인이 일러준 대로 배타는 곳으로 찾아갔다. 거기에 아주 무섭게 생긴 배 젓는 사람이 배에 서 있었다. 무서웠지만 나는 아무 생각 없이 배에 올라탔다. 배 젓는 분이 막 배를 저으려는 순간 나에게 어떤 음성이 우렁차게 들려왔다.

"빨리 내려. 빨리 내려라."

그 순간 어리둥절해서 나도 모르게 배에서 뛰어 내렸다. 어둠이 깔려 있는 저녁때라 무섭기도 하고 허둥지둥 숨을 헐떡거리며 도망쳐 나왔다. 어디로 가야할지 몰랐을 때 갑자기 경찰서가 생각이 났다. 사람들에게 물어 경찰서로 가서 주민등록증을 보여주고 하룻밤을 경찰서에서 지낸 적도 있었다. 그 후에도 기가 막힌 하루하루를 보내야만 했다. 다 적으면 너무 많아 그냥 여기서 줄일까 한다. 나중에 알았지만 그 섬은 한번 들어가면 다시 나오기 힘든 곳이라는 것을 알게 되었다.

이렇게 어려운 고비들을 많이 겪게 되었지만 그때마다 위기

3부. 주의 길

를 넘길 수 있었던 것은 하나님의 보호하심이 있었기 때문이다. 노숙인들을 보면 지금도 마음이 많이 아프다. 노숙 생활을 하면서 그들이 얼마나 춥고 배고픈가를 겪어봐서 알기 때문이다. 나의 얼굴도 겨울만 되면 빨갛게 변해 사람들 보기에 창피할 때가 많았다. 물어보니 어릴 때부터 추워서 볼이 얼어 빨갛게 됐다고 들었다. 노숙인들을 생각하면 지금도 최선을 다해 섬기고 싶은 마음뿐이다.

> 사람이 마음으로 자기의 길을 계획할지라도
> 그의 걸음을 인도하시는 이는 여호와시니라 (잠 16:9)

그렇게 기도원에서, 때로는 길거리에서, 때로는 여인숙을 전전하며 일을 하고 있을 때 어느 날 여인숙에 낯선 남자들이 들이닥쳤다.

"권영순씨 맞습니까?"

"네, 저 맞는데 누구세요?"

너무 두려웠다. 남자들만 보면 나는 두려워 모기만한 소리를 내는데 그들은 다짜고짜 나의 손목에 수갑을 채웠다.

"살려 주세요! 나는 아무 죄도 안 저질렀어요. 살려 주세요."

덜덜 떨며 울며 매달렸지만 경찰관들은 나를 차에 태워 유치장으로 데려갔다. 수갑을 차게 된 결정적인 동기는 어느 개척교회 목사님을 다른 곳에 옮겨가도록 하기 위해서 보증금 700만 원을 그분에게 드리고 300만 원은 교회 비품을 사기 위해서 1,000만 원 빚보증을 선 적이 있었다.

그 1,000만 원을 빌려주었던 사람의 형님이 수사계에서 근무하는 경찰이었는데 수배를 내려 결국 내가 잡혔던 것이다. 수많은 빚을 지고 도망다니듯 하루도 편안하게 자보지 못했던 나였는데 또 다시 이런 보증 건으로 경찰서 신세까지 지게 된 것이다. 얼마나 무섭고 끔찍했는지 몰랐다. 그 당시 나로서는 하나님을 부를 힘조차도 없었다. 몰골이 말이 아니었다. 그 비참함을 무엇이라 표현해야 할지 몰랐다. 무한정 지쳐만 있었다.

젊은 의경들이 얼마나 무시하는지 몰랐다.

"어이 아줌마 뭐야? 눕지 마!……요."

치약을 던지면서 말했다.

"화장실 닦아!……요."

무서워서 똑바로 쳐다보지도 못하고 감당해야만 했던 내 자신이 너무 비참했다. 이런 내 자신이 너무 한심스러워 죽고만 싶었다.

그날 유치장 안에서 애통한 눈물을 흘리며 주님을 원망했다. 그러나 나는 이내 회개했다. 다 내가 저지른 잘못이다. 주님께 이 상황을 빌어 빨리 정리할 수 있게만 해달라고 기도했다.

"주님, 이 몸이 으스러지도록 해결하겠습니다. 이 상황이 정리

되게만 도와주세요. 살려 주세요. 너무나 무섭고 두렵습니다."

겁이 많은 나는 유치장이 너무나 무서워 보리밥 반 공기에 단무지 세 쪽이 나오는 것을 밀어내고 지칠 대로 지친 몸으로 버텨냈다. 그때 돈을 빌려준 사람이 나를 찾아와서 협박을 하기 시작했다.

"아줌마, 부산까지 도망가면 내가 못 찾을 줄 알았어요? 애들한테 여기 있다는 거 다 알려줄 거야."

그것은 정말 안 될 일이었다. 아이들을 내버리고 혼자 살겠다고 도망 온 부끄러운 애미였다.

"아저씨 살려 주세요. 저는 집을 나온 사람이에요. 우리 아이들끼리 살고 있는데 이런 걸 알게 되면 한이 맺힐 거예요."

"그러니까 빨리 돈을 갚으세요!"

"아저씨. 제가 여기에 갇혀 있다는 걸 알고, 아저씨가 날 여기 가둔 걸 알면 어디로 폭발할지 몰라요. 저를 좀 도와주세요. 분명히 빚은 갚을 게요. 여기서 나가게 해주세요."

눈물로 통사정을 했다. 정말로 우리아이들이 알게 되어 어떤 일을 저지를까봐 두려움에 떨었다. 미친 사람처럼 통곡을 하며 하나님께 울부짖었다. 다른 사람들이 볼 땐 실성한 사람으로 보였을 것이다.

"돈 빨리 안 갚으면 안 꺼내줄 거에요."

화를 내며 아저씨는 가버렸다. 그러면서 유치장에서 혹독한 조사를 받았다. 잠도 제대로 못 자고 겁이 많은 나로서는 지옥 같은 경험을 한 것이다. 정신이 몽롱해질 지경까지 밥을 먹지 않고 있어야만 했다. 며칠 뒤 돈 받으려고 온 아저씨가 내 몰골을 보더니 안 되었는지 빵과 우유를 사주었다. 나는 다시 그에게 매달렸다.

"아저씨, 나가서 분명히 갚을게요. 살려 주세요."

이대로 놔두면 내가 죽게 생겼다고 생각했는지 그 아저씨는 각서를 쓰라며 종이 한 장을 내밀었다. 그렇게 각서를 써주고 나서야 나는 경찰서 유치장을 나오게 되었다.

그 돈을 갚으려고 다시 식당일, 파출부 일을 하면서 매달 조금씩 갚아 나갔다. 성경 말씀에는 보증을 서지 말라고 했는데 결국 보증을 통해서 수치와 억울함을 겪었다.

이런 일은 비일비재했다. 교회 목사님들이 고통받는 걸 보면 나는 덥석덥석 그들을 도와주겠다고 보증을 서거나 돈 문제에 얽히곤 했다. 결과는 늘 좋지 않았다. 이 모든 것이 지혜롭지 못한 나의 불찰이다.

사람을 너무 믿어서도 안 되고 특별히 주의 종과는 돈 관계로 얽히면 안 된다는 사실도 배웠다. 어떤 약속이든 입으로 말한 것은 지켜야 한다는 사실을 더 확신하게 되었다.

끝나지 않는 고난

·

   부산에서의 힘든 삶을 정리하고 나는 포항으로 다시 돌아왔
다. 이제 새로운 삶을 살아야 할 때였으나 돌아와 보니 포항은
엉망이었다. 가족들이 뿔뿔이 흩어지고 엉망이 된 것을 보니 모
두 내 탓인 것 같아 마음이 너무 무겁고 아팠다.

   나는 마음을 가다듬고 포항에서 다시 사역을 하기로 결심을
했다. 치유사역을 하려면 작게라도 상담할 장소가 필요했다. 남
들이야 사무실 하나 얻으면 된다고 할지 모르지만 워낙 빚이 많
아 장소를 구할 엄두가 나질 않았다. 그러다보니 사정을 아시고
기도해주는 분들이 십시일반으로 돈을 모아주어서 지하 교회
하나를 구할 수가 있었다. 꿈만 같았다. 계약금을 지불하고 짐도

좀 옮겨놓은 뒤 매일 그곳에서 기도를 하니 날아갈 것만 같았다. 소리 내어 기도해도 누구도 뭐라 하지 않았다.

그런데 어떤 여자 집사 두 사람이 이 장소를 얻고 싶었는데 우리가 먼저 계약을 해서인지 와서 계속 방해를 하는 거였다. 기도하는 시간에 찾아와 더 큰소리를 내며 너무도 어이없는 행동들을 하는 것이었다. 안 그래도 두려움이 많았던 나로서는 그들이 나를 감금시킬 것 같다는 두려움까지 들었다.

설상가상으로 그 건물이 경매로 넘어간다는 소식을 접하게 되었다. 잘 알아보지도 않고 교회 목사님에게 소개받아 믿고 들어간 것이 큰 실수였다. 얼마나 기가 막히고 마음이 아팠는지 계약금이라도 돌려받으려고 목사님을 찾아가 이야기를 했다.

"저에겐 큰돈입니다. 계약금이라도 돌려주시면 안 되나요?"

그러자 그 목사님은 돌변하는 거였다.

"아니 이 여자가 미쳤나? 계약금을 돌려달라니 한 번 계약했는데 무슨 계약금을 돌려준단 말입니까?"

오히려 화를 내며 욕설을 퍼붓는 것이었다.

'교회가 경매에 넘어가는걸 알면서 이런 계약을 하다니 그러고도 주의 종입니까?'

이렇게 퍼부어야 했지만 나는 아무 말도 하지 못했다. 충격이 너무 컸다. 울면서 돌아왔을 때 나는 사역을 그만두고 싶었다. 정말 그만두고 자유롭게 살고 싶었는데 이상하게 그런 고난을 겪을 때마다 동역자들이 찾아왔다. 기도를 같이 하고 교회에 와서 함께 치유가 됐다는 사람이 늘어나니 관둘 수도 없었다. 동역자들은 나에게 용기를 주었다.

"그러지 마시고요. 폐교를 야영장으로 만든 곳이 있어요. 그곳에 가서 우리 함께 기도해요."

여전도사님이 마음껏 기도하기 좋은 장소라고 소개했다. 주변에 사람들이 없어서 소리 질러도 괜찮고 무엇보다 여름이 되면 수련회를 온다고 했다.

"수련회 오면 매점을 운영해가지고 수입도 올릴 수 있어요."

전도사님의 말이 맞는 것 같았다. 우리는 다시 희망을 가지고 전도사님의 말을 믿고 남편과 자녀들의 현금서비스를 모두 이용해 계약을 했다. 그리고 그곳에서 사역과 장사를 시작했다.

그런데 폐교는 야영장으로서는 시설이 미비했다. 그저 학교와 운동장만 있었다. 함께 기도하는 분들에게 돈을 빌려 우리는 주방, 전기시설 등 각종 시설을 갖추었다. 마침내 그곳에서 우리는 새롭게 도약할 수 있을 것 같았다.

드디어 기다리던 여름, 대학교 한 팀이 야영장에 들어오겠다는 연락을 받았다. 기대가 큰 만큼 전날 식재료도 잔뜩 구입해서 매점을 가득 채웠다. 부푼 마음으로 학생들을 맞이했는데 이미 학생들은 자신들이 먹을 것을 잔뜩 싸들고 왔다. 첫 장사는 실패로 돌아갔다. 다른 팀이 오기만을 기다렸지만 홍보가 되어 있지 않으니 그 뒤로 누구도 오지 않았다. 결국 사업은 망했고 엄청난 빚을 떠안게 되었다. 물에 빠진 사람 지푸라기라도 잡는다고 야영장을 운영하는 사장님에게 조금이라도 투자한 돈을 돌려받을 수 있겠냐고 물었다.

"사장님. 저희가 이렇게 시설도 하고 이랬는데 그냥 포기할 테니 조금이라도 돈을 좀 주실 수 있나요?"

그 말을 듣자 야영장 사장은 어림도 없는 소리라고 했다.

"절대 못 해줍니다. 당장 나가시오! 당신들 때문에 오히려 나도 망했어! 뭐 이런 사람들이 교회 다닌다고 큰소리야!"

나를 몰아붙이며 죄인 취급을 하는 것이었다. 그런 태도를 보며 내 마음에는 다시 비참함이 몰려왔다. 어디 그뿐인가 빚을 갚으라는 카드사의 독촉전화가 남편과 아이들에게 수시로 걸려왔다. 정말 죽고 싶었다. 자녀들이 나에게 말했다.

"엄마, 제발 주의 길 가는 거 그런 거 하지 마. 우리 다 죽겠어!"

막내아들이 울부짖었다. 그 말을 듣자 모든 가족이 나를 미친 사람 취급한다는 것을 알았다. 모든 걸 내려놓고 싶었다.

어느날 충격이 가시지 않은 상태에서 어느 부부 집사님이 북부해수욕장 쪽 이층에 자신들이 사업을 하던 홀이 있으니 그쪽에서 기도하자고 했다. 소개한 홀로 갔더니 30평 정도 되었고 방이 하나 있었다. 나는 거기에서 기도회를 하게 되었고 얼마 안 되어 그곳 사람들이 제법 몰려오게 되었다. 기적도 일어나고 여러 가지 해결되는 일이 있어 기도꾼들이 제법 몰려오게 되었다.

어느 날 집사님 부부가 물었다.

"한 달에 한 번씩 내적치유하시는 목사님이 와서 여섯 가정을 위해서 부부세미나 겸 기도회를 여기서 합니다. 기도회 날이 내일인데 전도사님 생각은 어떠세요?"

"네, 같이 기도하는 분들도 참석하면 좋을 것 같네요. 그렇게 해요."

초청한 목사님은 세미나를 부흥회식으로 이끌어 가셨고 나는 그 장소를 책임지고 있었기 때문에 물질을 담당하고 있었다. 성도들이 감사헌금 내는 것을 받아서 한 푼도 빼지 않고 그 목사님께 사례비로 드렸다.

그 목사님이 세 번째 오셨을 때 어느 사모님이 말했다.

"전도사님도 어려우신데 전기세도 빼고 그래도 여기서 쓸 것을 남기시고 사례비를 드리세요."

그래서 그 사모님 말씀을 듣고 말했다.

"목사님, 이번에 사례비는 삼분의 일만 빼고 목사님께 드리겠습니다."

말씀을 드렸더니 목사님 표정이 좋지 않다는 것을 느꼈다.

두 번째 사례비 드릴 때까지는 늘 대구에서 전화를 해서 앞으로 키워보겠다고 더 큰 사역자가 되기를 바란다고까지 이야기를 했는데 사례비 이야기를 했을 때는 안색이 변하면서 돌아가셨다.

그런데 어느 날 갑자기 집사님 부부에게 전화가 왔다.

"전도사님 장소 좀 비워주셨으면 좋겠습니다."

"집사님이 쓰라고 하셔서서 왔는데 갑자기 나가라고 하면 어떻게 합니까?"

"사흘 안에 비워주십시오."

너무 어이가 없어서 평소에 가장 존경하는 어느 목사님한테 전화를 걸었다. 그 목사님은 아무 말하지 말고 한 달만 기회를 달라고 해보라고 했다. 그래서 다시 그 집사님께 전화를 걸었다.

"한 달만 기회를 주세요. 당장 돈도 없고 나갈 때도 없고 한 달만 주세요."

집사님은 전화를 끊어 버렸다. 그리고 난 후 대구에서 한 달에 한번 오는 목사님이 이제는 날마다 전화 연락도 없이 와서 부흥회를 하면서 나에게 모욕감을 주기 시작했다. 방에서 나와 함께 기도하는 분들도 대부분 그 목사님에게 가버렸다. 남은 분이라곤 권사님 두 분밖에 없었다. 어쩔 수 없이 그렇게 두 분과 앉아서 눈물을 흘리면서 기도를 했다.

그 목사님은 날마다 와서 우리를 방해했다. 울면서 기도하는 나에게 여러 성도님들이 먹을 것을 권했다.

"전도사님 먹을 것 좀 드릴까요? 사과도 있고 감도 있어요."

"먹고 싶지 않네요."

얼마나 수치스럽고 마음이 아팠는지 몰랐다. 그렇게 며칠을 기도하다가 다시 아는 목사님께 전화를 했다. 목사님은 그냥 이렇게 대답했다.

"그 목사님한테는 아무 말하지 말고 그냥 피해드리세요."

그때는 아이들한테 너무 엄마 노릇을 못해서 구룡포에서 나와 혼자 지내고 있었던 터라 그곳을 나와 어느 권사님집에 잠깐 머물게 되었다. 어느 날 그 장소에 다시 가보니 나의 소지품 모두 여기 저기 집어 던져져 있었고 방음장치도 다 뜯겨져 있었다. 너무 충격을 받았다. 나에게 단돈 10만 원도 없었기 때문에 이사를 갈 수도 없는 상황이었다. 가까스로 어느 분에게 전화를 했더니 20만 원 돈을 빌려 주어서 물건들을 어떤 조그마한 방에 옮겨 놓게 되었다.

홀을 달라고 했던 것도 아니고, 부부가 준다고 해서 갔는데 그런 일을 만나고 말았다. 나중엔 그 부부가 장소를 나의 명의로 해달라고 했다고 요구를 해서 나가게 했다고 했다. 나는 그런 말을 한 적이 없었지만 그 목사님이 배후에서 조정하고 있었던 것을 알았다.

여러 목사님을 통해서 상처를 받았었지만 그 충격은 이루 말할 수가 없었다. 나는 늘 그렇게 억울하게 당하는 삶을 살아왔다. 돈이 없다보니 사람 살 곳 같지도 않은 곳에 살면서 바퀴벌레와 쥐들이 우글거리는 곳으로 밀려났다. 어떤 때는 보일러도 틀어보지 못하고 가스가 들어오지 않는 냉방에서 겨울 내내 벌벌 떨며 지낸 적도 있었다.

점점 지쳐만 갔다. 주의 길을 가고 있지만 희망의 탈출구가 없었다. 그저 답답할 뿐이었다. 왜 고난은 도대체 끝나질 않는 것일까.

내적치유의 시작

힘든 경험을 통해 돌이켜보고 싶지 않을 정도의 끔찍함이 무의식 안에 자리 잡고 있었다. 그래서인지 이 모든 상황들을 내기억의 저편에 숨기고 있었다. 내가 이렇게 과거를 회상할 수 있는 것은 내적치유를 받고 성령의 인도하심이 있었기 때문이다. 그동안 나의 삶을 까마득하게 잊고 있었다. 책 쓰는 것은 생각지도 않았는데 성령이 임하셔서 과거의 기억들이 새록새록 되살아난 것이다. 그때의 느낌과 장소 단어 하나하나가 되살아나서 이렇게 글로 옮겼다.

살아오면서 많은 상처로 나는 스스로의 기억을 많이 지웠다. 자의적인 기억상실증이었다. 심지어는 엄마 아빠의 이름조차도 기억하지 못할 지경이었다. 어디 그뿐인가. 실어증에 걸린 적도 많았고, 모든 기억이 백지처럼 지워졌다. 이랬던 내가 과거를 회상할 수 있고 담담하게 말할 수 있게 된 것은 내적치유를 받으면서였다.

그 무렵 같은 신학교를 다녔던 동기 전도사님이 있었다. 나보다 어렸고 큰 교회에서 찬양 팀까지 맡아 헌신하는 분이었다.

그러나 그 전도사는 약속시간에 항상 한 시간씩 늦게 오곤 했다. 워낙 바빠서 그런가 했는데 다른 사람과의 약속은 잘 지키는 것을 보면 나를 가볍게 보는 것 같았다. 또 어떤 날은 약속 장소에 다른 사람들을 둘셋을 데려오더니 만나기로 한 나는 제쳐두고 그들과 먼저 대화를 마친 다음에 나랑 이야기를 하는 게 아닌가. 그래도 나는 나이도 많으니 모든 것을 참고 인내했다. 그러려니 하고 넘어갔다. 그런데 너무도 어이없는 일이 벌어졌다. 어느 날 우연히 돈을 빌려준 사람을 만나러 그 전도사와 함께 가게 되었다. 그곳은 버스가 다니지 않아 택시나 자가용으로만 가야 하는 곳이었다.

"택시보다는 지나가는 자가용이 오면 손을 들어 세워 볼게요. 전도사님은 외모도 좀 그렇고 이미지도 그러니깐 제 뒤에 숨어 계세요."

그 말을 듣는 순간 얼마나 수치스럽고 당황했는지 몰랐었다.

"네 그럴게요."

수치와 모욕감으로 인해서 말로 표현할 수 없을 만큼 힘들었지만 그때 나로서는 자존감이 아주 낮아 그렇게 할 수밖에 없었다. 가난 때문에 제대로 된 옷 한 벌 못 입는 형편이 너무나 수치스러웠고 부끄러웠다. 이런 일은 비단 전도사님과의 사건뿐만이 아니었다.

"권전도사는 외모도 그렇고 나이가 많아서 이제 한물갔어요."

그렇게 사람들로부터 무시와 멸시를 당한 것이 이루 말할 수 없을 만큼 많았다. 작아만지는 내 모습이 초라했다. 혼자 있을 때면 하나님께 기도했다.

"왜 나의 인생은 이렇게 무시만 당해야 하나요? 하나님 대답 좀 해주세요."

그러나 답은 없었다. 도저히 찾을 수가 없었다. 애초에 내가 전도사가 된 것은 친구의 권유 때문이었다. 하지만 처음부터 얽혀 있던 고난의 끈이 계속 나를 물고 늘어졌다. 그 끈과 고통을 정리하지 못하고 너무나 긴 세월을 돌고 돌았다. 어른이 되었지만 아직도 내 마음속에는 두려움과 아픔들이 나를 누르고 있었다. 어른이 되어도 책임감이 부족하고 앞뒤를 계산할 줄 몰랐다. 사람들과의 관계에서 의심 없이 믿고 따르다보니 그만큼 이용당하고 상처를 입었다. 좋게 말하면 순박하고 나쁘게 말하면 어리석은 나는 상처를 많이 받고 아픔을 겪으면서도 계속 그 고통을 내 몫으로 끌어안아야 했다. 조금만 돌아보면 알 수 있고 조금만 꾀를 부리면 편할 수도 있었다. 그런데도 멍청하리만큼 상황을 계산하지 않고 누구 탓이 아닌 내가 겪어야 할 운명이라고 생각했다.

"하나님, 왜 나를 버립니까? 언제까지 이런 고통을 겪어야 합니까? 너무나 원망스럽습니다."

그러한 와중에서 태아 때부터 상처가 많았던 나는 자존감이 낮고 무시당하는 것이 일상이 되어 버렸다. 그래서인지 주의 길을 가고 있으면서도 당당하지 못했다. 늘 위축되어 있었고 어디서부터 이렇게 꼬였는지 알 수 없었다. 하지만 이대론 살 수 없었다. 지금까지 살아온 방식을 바꿔야 했다. 변화가 필요했다. 기도할 때마다 내 삶을 바꿔달라고 애원했다. 그러던 중 어떤 목사님이 나에게 내적치유를 받아보라는 권유를 했다.

"권 전도사님, 세상에! 주님이 목사님을 많이 사랑하시나봐. 자꾸 기도하는데 응답을 주셔."

"뭐라구요?"

"마음속에 있는 아픔을 빨리 치유해서 다른 많은 사람을 구하라고 그러시네."

"저 같은 부족한 주의 종이 어찌 그러겠습니까?"

듣기만 해도 기분이 좋았지만 나는 자신감이 없었다.

"내적치유하는 곳이 있어. 그곳에 가서 한번 치유를 받아봐."

"정말이요?"

"응."

그리하여 나는 목사님의 소개로 내적치유 받는 곳을 찾아갔다. 그곳은 나에게 놀라운 기적을 주었다. 내적치유를 통해서 태아 때부터 지금까지 내재되어 있던 나의 상처와 아픔들을 깨달아 가기 시작했다. 내가 지금까지 죄라고 생각하지 못했던 것들이 죄라는 것을 깨닫고 나서 얼마나 회개했는지 모른다. 숨겨 왔던 나의 상처와 아픔들이 나의 인생에 왜 고난과 핍박으로 다가왔는지를 깨닫게 되었다.

치유를 통해 나에게는 많은 변화가 일어나기 시작했다. 가장 큰 변화가 사랑이었다. 정말 예수님의 사랑을 말로만이 아니라 온몸으로 느끼게 된 것이었다. 치유가 되어져 가니 세상이 다르게 보였다. 보는 눈도 변했다. 무엇이든 이룰 수 있을 것만 같았다. 갑자기 자신감이 생기고 얼굴에 빛이 나는 것만 같아 사람들마다 나를 보면 말했다.

"전도사님. 옛날하고 좀 달라지신 것 같아요."

사람들을 보면 그가 무엇으로 고통을 받는지 눈에 보였다. 이 사람 저 사람을 만나게 하시는 것이 느껴졌다. 그들을 만나서 이야기도 들어주고 기도도 해주며 치유를 해주기 시작했다. 그들의 삶에 선한 열매들이 나타나는 것을 보면서 기쁨의 눈물을 흘렸다.

분명한 소명의식이 내 안에 자리 잡았다. 이것은 모두 그동안의 아픔을 이겨내고 내적치유를 통해 깨달은 결과였다. 물론 그 전에도 하나님께서 부족한 나에게 여러 은사를 주셔서 사람들을 상담해주고 기도해주면서 섬기도록 하였다. 하지만 이제는 사람들의 아픔과 상처를 감싸주고 치유해 주는 예수님의 따뜻한 사랑을 전하는 내적치유 상담자로 한걸음씩 옮겨가고 있었다.

주께서 내게 복을 주시려거든 나의 지역을 넓히시고

주의 손으로 나를 도우사 나로 환난을 벗어나

내게 근심이 없게 하옵소서 하였더니

하나님이 그가 구하는 것을 허락하셨더라 (대상 4:10)

자격 없는 엄마

하지만 치유사역은 생각보다 정말 힘든 일이었다. 내적치유를 받았음에도 불구하고 고난은 끊이지 않았고 너무나 고통스러워 언제든 관두고 싶었지만 내 곁에는 나를 도와주는 동역자들도 있었다. 그들이 힘들 때마다 함께 기도해서 나를 일어나게 만들어주었다. 그 동역자들의 도움으로 허름한 옥탑 방에 마음껏 기도할 수 있는 장소를 하나 마련했다. 그곳에서 기도하면서 나는 지난날의 지긋지긋한 과거를 돌이켜보았다. 끝없이 이어지는 이 고난은 과연 어디에서부터 온 것일까? 나는 울부짖으며 하나님께 묻고 또 물었다.

"하나님 저는 언제나 이 고난으로부터 벗어나겠습니까? 이 지긋지긋한 고난을 거두어주십시오."

그러나 하나님의 대답은 들리지 않았다. 목이 터져라 기도하며 고난을 벗어나려 몸부림치던 어느 날 청천벽력 같은 소식이 들려왔다. 큰딸이 결혼을 하겠다는 것이다. 객지에 가서 혼자 살겠다며 고생하던 큰딸이었다. 남들 같았으면 처음으로 딸을 시집보내니 얼마나 기쁘고 좋을 것인가. 그러나 나에게는 그 소식이 결코 기쁘지 않았다. 가슴 먹먹했다. 엄마로서 자격이 없는데 딸이 결혼한다니 무엇을 어떻게 해야 할지 알 수가 없었다. 아무것도 해줄 수 없는 것이 나의 현실이었다. 바닥까지 내려가 버린 인생이기에 무엇을 해도 풀리지 않는 삶이다. 어느 것 하나 딸에게 잘해준 기억이 없고 오히려 신세를 지거나 딸을 속상하게만 했던 것이 생생하게 살아났다. 답답하고 암울했다.

붙잡을 것은 하나님뿐이었다. 다시 목 놓아 하나님께 간구했다. 불쌍한 딸을 위해 기도하고 나 자신의 처지를 원망했다. 하지만 딸의 결혼이라는 무거운 현실이 다가오자 기도는 되지 않고 두려움과 함께 잡념만이 나를 사로잡았다. 결혼을 한다면 누구를 초대할 것인가. 어떻게 준비해야 하나? 물어볼 사람도 없었고 경험도 없었다. 오랫동안 남의 고통과 아픔은 상담하면서 해결해 주어 놓고 정작 내 가정에서 딸이 결혼한다는데 도와줄 사람도 없고 방법도 몰랐다. 나는 그저 울 수밖에 없었다. 내 인생은 왜 이렇게 힘든 것일까? 예수님도 나를 버린 것만 같았다.

너무 초라하고 비참해서 왜 사는지 알 수 없었다. 도저히 잠이 오지 않아 기도를 한답시고 벽에 기대고 앉아 있었다. 그런 와중에서도 예수님이 응답해 주셨다.

"딸아, 걱정하지 말고 자도록 하거라."

"예수님 같으면 잠이 옵니까? 입장을 바꿔보세요."

나는 통명스럽게 기도를 했다.

"사랑하는 종아, 아무 걱정하지 말고 자거라. 내가 알아서 인도해 줄 것이다."

"웃기시고 있네요. 저는 안잡니다."

나는 막무가내로 기도하면서 딸 결혼식이 걱정이 되어 며칠을 꼬박 새었다.

어느날 그 후에 신기하게도 함께 기도하던 집사님들이 나의 이야기를 듣자 자신들의 경험을 말하며 돈을 빌려주기 시작했다.

"전도사님. 이걸로 딸 시집보낼 때 쓰세요. 나중에 천천히 갚으시고요."

여기저기서 십시일반으로 도움을 주기 시작했다. 마침내 그렇게 해서 우리 큰딸은 좋은 사위를 만나서 결혼을 했다. 자격 없는 내가 장모가 된 것이다.

하나님께 감사했지만 떳떳하게 그동안 아이들에게 무엇 하나 해주지 못했던 가난한 현실 때문에 가슴이 메어서 견딜 수가 없었다.

명절때도 마찬가지였다. 명절만 다가오면 불안하고 힘이 들었다. 가진 것이 하나도 없기 때문에 돈을 쓰고 선물을 사주며 덕담을 해야 하는 명절이 부담으로 다가왔다. 모든 어미들의 마음은 같을 것이다. 자녀들에게 맛있는 음식도 많이 해주고 과일도 사주며 용돈도 나눠주고 싶어 한다. 하지만 그렇게 하지 못하는 나 자신 때문에 늘 자녀들 눈치를 살폈다. 마음이 불안해 안절부절 못하면서 어쩔 줄을 몰랐다.

명절 때마다 돈이 없어 속이 타들어가지만 어찌어찌 돈을 마련해 음식을 차리고 단란한 시간을 보내려고 해도 아이들의 반응은 차가웠다. 살갑게 아이들을 보듬어주지 못한 어미였으니 어찌 그렇지 않겠는가. 그것 때문에 내 몸 안에서 진이 빠지는 느낌이었다. 허탈감이 엄습해 명절만 되면 두렵고 불안했다.

한번은 추석이 다가와 나와 함께 동역하는 분들에게 인사를 해야 할 것 같았다. 있는 돈 없는 돈을 긁어모아 선물을 하려고 차를 가지고 있는 막내아들을 도매시장에 데리고 갔다. 나는 옛날부터 누군가에게 선물을 할 때면 가장 좋은 것으로 선물하는 것이 신념이었다. 왜 그런지 몰랐다. 아무튼 남에게는 나에게 없는 최고의 것을 줘야만 한다는 생각이 늘 나를 지배했다. 그래서 가장 좋은 것을 도매시장에서 고르고 있는데 따라왔던 아들은 어처구니가 없는 표정으로 나를 바라보며 말했다.

"엄마, 돈도 없는데 제발 적당한 걸로 사."

하지만 나는 고개를 저었다.

"아니야. 사람들에게 대접할 때는 좋은 것으로 대접해야 하나님께서 좋아하셔."

그러면서 나는 좋은 과일을 고르느라 여념이 없었다. 그 순간 아들은 쌓였던 것이 터진 모양이었다.

"그놈의 돈, 돈!"

고래고래 소리를 지르는 거였다. 맨날 돈도 없어 쫓겨 다니고 가난하게 살면서 남에게는 좋은걸 선물하려고 애쓰는 내 모습이 보기 싫었을 것이다.

아들은 화가 나서 입이 한발은 나왔다. 못마땅해 나를 차에 태우고 엄청나게 속도를 내는 거였다. 두려웠다. 아들이 이러다 사고라도 낼 것 같았다. 내가 없어야 속도를 줄일 것 같았다.

"내려 줘. 내려줘. 나 내릴래."

소리소리 지르며 내려 달라고 했다. 화가 난 아들은 그제야 나를 내려주었다. 도로 중간에 내려 나는 집을 향해 한참을 걸어오며 생각했다. 부모로서 별로 해준 것도 없으면서 어렸을 때부터 상처만 입었던 우리 아이들이다. 그 아이들에게 나는 잘될 거라고만 말했다. 그러나 잘되기는커녕 가난에 쪼들리고 빚에 쪼들려 입고 싶은 것이나 하고 싶은 것을 하지 못한 아이들이기에 나는 너무나 미안하고 또 미안했을 뿐이다. 지나가는 차에 당장이라도 뛰어들고 싶었지만 나를 바라보고 있는 하나님 때문에

그러지도 못했다. 그저 뚜벅뚜벅 아스팔트 위를 걸어가며 언젠
가 하나님의 뜻을 알게 될 거라고 믿었다. 자격 없는 엄마는 그
렇게 또 한 번의 명절을 보내게 되었다.

진정한 회개와 깨달음

●

치유사역을 하면서 이제는 주의 길을 제대로 갈 수 있다고 생각했다. 그렇지만 여전히 고통은 그치지 않았고 늘 어려움이 지속되었다. 그럼에도 불구하고 그때마다 하나님은 좋은 동역자를 만나게 해주셨다. 빚더미에 시달리고 있을 때에 한 장로님을 알게 되었다. 처음엔 부인 권사님이 나에게 상담을 하러 왔다. 기도 중에 남편 장로님을 한 번 모시고 오라는 응답이 왔다.

"권사님, 남편 장로님을 한번 모시고 오세요."

"장로님은 오직 교회에서만 신앙생활 하시는 분이라 올지 모르겠네요."

그리고 권사님은 집으로 가셨다. 얼마 후에 권사님이 두 번째로 찾아왔다. 나는 기도 중에 또 남편 장로님을 모시고 오라는 응답을 받았다.

"권사님, 하나님이 장로님을 한번 모시고 오기를 원하시네요."

"네, 그럼 알겠습니다."

그리고는 해외에 계신 장로님을 급히 모시고 오게 하였다. 장로님 역시 사업을 하다가 많은 빚을 지게 된 것을 알게 되었다. 나도 빚을 갚지 못하여 힘들어 하는 아픔을 겪어 보았기에 장로님의 사정을 알고 마음이 많이 아팠다. 자녀들도 우울해 있었다. 그래서 최선을 다해서 장로님 가정을 위로해 드리고 싶었다.

"전도사님, 저희 집에 와서 우리 가족들을 위해 내적치유도 좀 해주시고 예배도 드려주세요."

나는 흔쾌히 그러겠다고 했다. 그 후 일주일에 한 번씩 장로님의 집에 예배를 드리러 갔다.

어느 추운 겨울날이었다. 센터에 전기가 나가서 혼자 추위에 떨고 있어서 몸이 좋지 않았다. 그 날이 장로님이 처갓집에 가는 날이었는데 마침 나에게 전화를 거셨다.

"전도사님, 목소리가 왜 그러세요?"

"지금 너무 추워서 몸이 좋지 않네요."

"그럼 저희 집에 가 계세요. 아님 저희들 지금 내려갑니다."

장모님 집에 막 도착해서 짐도 풀지도 못하고 다시 먼 길을 운전해서 나에게로 달려왔다. 정말 잊을 수 없는 장로님 부부였다. 그렇게 장로님 가정과 친밀하게 지내면서 서로의 아픔을 공유하면서 장로님 가정에 얽매인 묶임들이 회복되기를 진심으로 기도해 드렸다. 나 역시도 장로님 가정을 통해 많은 위로와 도움을 받았다. 그런데 어느 순간부터 이상한 기미가 느껴졌다.

하루는 장로님이 나를 보며 말하는 거였다.

"주의 종들이 말씀을 잘 전해야 합니다. 말씀 없이 사역하는 것은 양들을 죽이는 것과 마찬가지예요."

이렇게 말하며 은근히 나를 무시했다. 그 후 예배를 드릴 때 장로님이 설교를 하기 시작했다. 안 그래도 배우지 못한 열등감이 있었는데 그때부터 주눅이 들기 시작했다. 점점 장로님의 비중은 커지고 나는 작아지는 느낌이었다. 그리고 결정적으로 장로님은 나에게 가슴에 비수를 꽂는 말을 하는 것이었다.

"전도사님, 제가 좀 드릴 말씀이 있습니다."

"무슨 말씀이세요?"

"제가 전도사님이 말씀 전하시는 걸 보니까 좀 깊이도 없으시고 공부를 좀 더 하셔야겠습니다."

그 말을 듣는 순간 수년 동안 배우고 공부하면서 사역을 했던 것이 물거품이 되는 것만 같았다. 주의 길을 가는 것이 부끄럽고 모든 것을 내려놓고 싶을 정도로 무기력이 나를 사로잡았다. 장로님이 제공한 빈 아파트에 거처를 옮겨 생활을 하고 있었는데 어느 날 장로님으로부터 전화가 왔다.

"전도사님, 지금 사람들이 집을 보러 오는데 내일까지 짐을 빼 주세요."

눈앞이 캄캄했다. 수중에는 단 돈 십만 원도 없었다. 그나마 다행히 아는 분의 도움을 받아 송도에 있는 재개발될 지역에 빈 집이 있어 월세 십만 원짜리 집으로 거처를 옮기게 되었다. 주변에는 인적도 없었고 전기도 들어오지 않았다. 집안에 쥐들이 왔다 갔다 해서 쥐똥들이 늘려 있었다. 이사를 하고 나니깐 장로님께 전화가 왔다.

"전도사님 이사 잘 하셨어요?"

"네, 장로님 좋은 곳으로 옮겼어요."

나는 다른 말을 할 수가 없었다. 밖을 보니 그날따라 눈이 많이 내리고 있었다. 너무 외롭고 무서웠다. 이런 나의 처량한 모습을 보니 말로 표현할 수 없을 만큼 비참해서 마음이 너무 너무 아팠다. 결국 장로님과의 사역은 여기까지였다.

하지만 하나님의 새로운 손길을 통해서 또 다른 동역자들을 만나게 하셔서 어려운 고비 고비를 넘겨주셨다. 특히 주유소를 하는 장로님 부부와 간호사 집사님 그리고 여러 분들을 만나게 해서 나의 부족한 부분을 많이 공급해 주셨다. 지금도 어려울 때면 많은 도움을 주시는 동역자들에게 늘 감사한 마음을 잊지 않고 있다.

태아 때부터 하나님을 몰랐던 나였다. 그러나 그분의 사랑을 경험하고 신앙생활을 하며 은혜를 받다보니 어느 것 하나 내세울 게 없지만 작은 은사를 허락하셨다. 그 은사로 사람들을 만나 대화를 나누고 때로는 기도를 통해 그분들의 가난이 풀리고 질병도 고치게 되는 기적을 경험케 하셨다. 나에게 있어서 과분한 영광이었다. 문제는 행복한 삶을 살아가는데도 내 삶은 치유가 되지 않았다. 되는 일이 없었고 늘 고난과 가난 속에서 살아야 했다. 어디 그뿐인가 앞서 장로님과 마찬가지로 동역자들도 수십 명이 몰려들어 함께 동역을 하다가도 어느 순간이 되면 낙엽이 떨어지듯 다 흩어져 나는 배신의 상처만을 안고 고통에 울부짖어야 했다. 외톨이가 되어 하루하루를 지낸 적이 한두 번이 아니었다.

그리고 수많은 사람이 치유를 받아 마음의 평안을 찾고 가정마다 좋은 일들이 넘쳐났지만 나중에 나를 만나게 되면 이상하게도 쌀쌀맞게 대했다. 섭섭한 마음을 감출 수 없어 항상 눈물을 달고 살 수밖에 없었다. 심지어 어느 집사님을 통해 우리 가족들을 칼로 찔러 죽인다는 협박도 당했고 어느 자매님에게 길거리에서 무릎을 꿇고 빌어 본적도 있었다. 주의 종으로서 견딜 수 없는 비참하고 수치스러운 일이었다.

그러나 나는 시간이 흐르면서 이 땅에서 일어나는 모든 좋은 일이나 나쁜 일은 다 이유가 있다는 것을 알았다. 내적치유를 통해 서서히 깨달아 갔다.

어느날 나는 성령님의 도움을 받아 깊은 기도를 하는 중 문제의 원인을 알아냈다. 이 모든 일은 나의 동역자들이나 치유받은 분들의 문제가 아니라 나의 문제였다. 내 안에 있는 너무나 깊은 상처 때문이라는 것을 알게 된 것이다. 그들을 있는 그대로 받아들이지 못하고 그 상처로 인해 그들을 쫓아낸 거였다. 사랑받아 보지 못했으니 그들에게 사랑을 줄줄 몰랐다. 인정받지 못하다 보니 그들을 인정하지 못했다. 하나님에게 인정받았으면 모든 것이 해결될 텐데 사람들에게 인정을 받으려고 그토록 좋은 물건을 주고 그들을 먼저 배려했지만 그들에게 돌아오는 것은 싸늘한 냉대였던 것이다. 이 너무나도 쉽고 간단한 사실에 나는 전율했다. 나부터도 챙기지 못하고 나를 존중하지 않으면서 어찌 남에게 존중을 받는단 말인가. 이것이 교만이었다. 어떻게든 주위 사람들에게 인정받겠다고 안간힘을 썼던 그것이 모두 다 물거품이었다. 깊이 회개하지 않을 수 없었다.

> 예수께서 이르시되 너희는 사람 앞에서
> 스스로 옳다 하는 자들이나 너희 마음을 하나님께 아시나니
> 사람 중에 높임을 받는 그것은 하나님 앞에
> 미움을 받는 것이니라 (눅 16:15)

눈물을 흘리며 진정으로 회개하고 기도로 사역을 준비하던

때에 어느날 하나님께서 환자 한사람을 보내주었다. 우울증 환자였다. 어머니와 함께 온 그 사람은 수많은 병원에서 치료를 받았지만 치료가 되지 않아 극단적인 선택을 하려던 찰나에 나를 만났다. 나는 극진히 그를 위해 기도해주었다. 그러던 중에 하나님께서 그에게 아침 금식을 보름동안 하라는 응답을 주셨다. 그러면서 예수님께서 말씀을 하셨다.

"저 사람은 돈이 없으니 아침에 금식할 때마다 성경에 두 렙돈 헌금을 했던 과부처럼 정성을 다해서 예물을 올리도록 해라."

이대로 그에게 전했다. 그 형제는 보름 동안 금식을 한 후 하루에 백 원씩 해서 천오백 원을 헌금했다. 금액으로 보면 적은 돈이지만 이 분이 올릴 수 있는 최선의 금액이라고 주님께 올리며 기도를 했더니 예수님께서 너무 기뻐하셨다. "너의 질병이 나을 것이다."라는 말씀을 해주셨다. 하나님이 말씀하신대로 치유의 역사가 일어났다. 며칠 뒤 그분은 우울증이 치료되어 나를 찾아와서는 너무 기뻐하며 어쩔 줄 몰라 했다.

"감사할 일 혹은 회개할 일이 있거나 기도 제목이 있을 때는 나에게 정성을 다해서 먼저 감사 예물을 드린다면 응답이 더 빠를 것이니라. 나는 액수보다는 정성을 보느니라. 예물이 정말 없다면 가난한 자들에게 물 한잔이라도 대접하면서 나에게 기도하는 것을 원하고 있노라."라고 예수님은 말씀해 주셨다.

각각 그 마음에 정한 대로 할 것이요

인색함으로나 억지로 하지 말지니 하나님은 즐겨 내는 자를

사랑하시느니라 (고후 9:7)

그전에도 많은 유의 역사를 경험했지만 나 자신의 부족함을 알고 진실한 회개를 한 후 하나님의 섭리를 더 깊이 깨달은 후 예전보다 더 놀라운 하나님의 능력을 경험하게 되었다. 내가 오히려 치유된 것처럼 기뻐서 감사가 넘쳐났다. 그러자 예수님께서 또 다시 말씀하셨다.

"사랑하는 나의 종아, 저 사람은 가난하다. 가장 좋은 옷을 사 입히고 차비를 주어 보내거라."

내가 기뻐하는 금식은 흉악의 결박을 풀어 주며 멍에의 줄을 끌러 주며 압제 당하는 자를 자유하게 하며 모든 멍에를 꺾는 것이 아니겠느냐 또 주린 자에게 네 양식을 나누어 주며 유리하는 빈민을 집에 들이며 헐벗은 자를 보면 입히며 또 네 골육을 피하여 스스로 숨지 아니하는 것이 아니겠느냐 그리하면 네 빛이 새벽같이 비칠 것이며 네 치유가 급속할 것이며 네 공의가 네 앞에 행하고 여호와의 영광이 네 뒤에 호위하리니 (사 58:6-8)

그 말씀대로 나는 그분에게 옷을 사 입히고 차비를 주어서 보

냈다. 예수님을 대하듯이 그분을 대접한 것이다. 물론 내가 남을 도울 형편은 아니었지만 환경은 힘들어도 어려운 이웃들을 위해서 섬기고 나면 마음이 얼마나 기쁜지 모른다. 이러한 사역을 통해서 하나님이 내게 원하시는 사역이 무엇인지 점점 더 선명해졌다. 노숙자, 가난한 이들, 고아들을 돌보고 섬기는 것을 하나님이 기뻐하신다는 것을 더 깨닫게 되었다. 나의 사역 방향들이 잡혀가고 하나님 앞에서 소외받고 고통받는 자들을 잘 섬기겠다고 서원을 했다. 그리고 그 서원을 보답하듯 하나님께서 평생을 함께할 동역자를 보내주었으니 그가 바로 나의 현재 동역자인 하모세 목사이다.

영적 동역자와의 만남

●

    그 당시 나의 삶은 이곳저곳을 다니며 힘에 겨운 사역을 이어 나가고 있었다. 내가 가진 것은 아무것도 없었다. 먹을 것이나 입을 것 어느 하나 변변하게 누려본 적이 없다. 평생에 가난이 나의 발목을 잡고 있었다. 가난은 늘 나를 턱밑까지 쫓아와 곧 목숨을 끊을 것처럼 괴롭혔다. 다른 사람의 상처는 잘 보이면서 내 몸에 있는 상처, 나의 가난과 나의 고통은 잘 해결되지 않았다. 나는 하나님께 원망하는 마음도 많았다.

    "하나님 어쩌란 말입니까?"

    그 가운데서도 어리석게 가진 돈을 다 털어 헐벗은 사람에게 전해주고 말았다. 가족들도 모두 질릴 지경이었지만 어쩔 수가 없었다.

하모세 목사와의 만남은 하나님이 준비하신 것이었다. 2013년 어느 가을이었다. 서울의 베데스다 기도원에서 간증하는 시간을 가졌다. 나는 집회에 참석해 다른 사람들의 상처를 치유하면서도 나의 아픔을 하나님께 토로하고 있었다. 집회에서 강사의 설교가 끝난 후 2부 순서를 통해 지금까지 살아왔던 삶과 하나님이 주신 은사를 가지고 섬길 수 있는 기회들이 있어 마음껏 사역할 수 있는 시간을 가졌다. 그런 모습에 감동해 어떤 젊은 목사님이 나를 찾아왔다.

"안녕하세요. 목사님, 은혜 많이 받았습니다. 제가 식사 한번 대접해 드리고 싶습니다."

함께 식사를 하고 대화를 나누었다. 아주 반듯하게 믿음을 가지고 살고 있는 훌륭한 하나님의 아들이었다. 그 뒤 나는 우연찮게 안양에 있는 교회에서 하목사님을 또 만났다.

"목사님 또 뵙습니다. 안녕하십니까?"

"아, 네. 목사님 안녕하세요?"

"차라도 한잔 하시면서 대화 좀 나누시지요."

"그러시지요."

우리는 다시 차를 마시면서 살아온 이야기를 나누게 되었다. 나는 30년 넘게 살아온 나의 기구했던 이야기를 하목사에게 털어놓았다. 많은 사람과 대화 나누었던 것도 이야기했다.

"하나님의 은혜로 우울증환자나 정신분열환자, 깨진 가정의 상처 입은 사람들을 많이 치유했습니다. 이건 제 능력이 아닙니다. 오로지 하나님의 은혜입니다."

이렇게 치유했던 이야기를 해주자 하목사님은 잠시 머뭇거리다 나에게 말을 꺼냈다.

"목사님 사실은 저에게 큰 누님이 계십니다. 간호대학을 다니던 누님인데 우울증이 시작되어서 오랫동안 치료를 받고 있지만 마음의 상처가 커서인지 치료가 잘 되지 않습니다."

그 순간 나는 그 누님을 만나봐야겠다는 생각이 들었다.

"지금 어디 계신가요?"

"결국 정신장애를 앓고 사회복지시설에 가 있습니다. 그나마 기독교 복지시설에서 보살핌을 받고 있습니다."

누구보다도 정신적인 고통을 많이 겪어 본 나는 고통받는 그 자매의 모습이 느껴졌다.

"제가 한번 같이 기도해 보면 어떨까요?"

내 이야기를 듣자 하목사님은 너무나 기뻐하며 내손을 꼭 잡으며 말했다.

"감히 부탁을 드리지 못했는데 감사합니다. 꼭 기도해 주십시오."

그렇게 해서 나는 하목사님의 누님에게 영적인 치유를 하게 된 것이다.

어느 날 하목사님과 함께 철야기도를 하고 있는 중이었다.

"목사님 드릴 말씀이 있습니다."

"무엇입니까?"

"평생 목사님과 동역을 하고 싶습니다."

"아니 목사님같이 미래가 창창하신 젊은 목사님이 저 같이 늙고 배운 것도 없는 여자 목사와 무슨 동역을 하신다는 겁니까?"

"아닙니다. 이미 목사님을 처음 뵐 때부터 너무 순수하신 모습에 감동을 받았습니다. 저는 아무나 따라가지 않습니다. 저도 나름 영적인 범위를 많이 알고 있다고 생각하는 목회자입니다. 대형교회에서 부목사로 제안이 왔지만 가고 싶은 마음이 전혀 없습니다. 제가 이미 대략 200명 정도 되는 분들을 목사님께 여쭤봤는데 목사님은 그 분들의 영적인 성향들을 정확하게 집어 내셨습니다. 목사님이 많이 배우시고 배경이 좋다면 저는 목사님을 따라가지 않았을 겁니다. 하지만 하나님이 목사님과 동행하면서 강하게 붙들고 계신 것을 보았습니다. 하나님이 저에게 이미 그런 눈을 열어주셨습니다. 목사님에 대한 저 나름의 검증은 이미 끝났습니다. 아니 처음 뵐 때부터 마음속에 영적인 멘토로 삼고 싶었습니다. 영적인 어머니로 모시겠습니다."

"목사님 부족한 저와 함께 한다는 것은 정말 감사합니다. 하지만 그동안 사람을 믿고 너무나 많은 배신을 당해서 지금 당장 대답을 할 수가 없습니다."

"목사님이 그동안 많은 사람들에게 상처 입으신 것을 잘 알고 있습니다. 기도 좀 많이 해보세요. 저는 목사님과 꼭 함께 하고 싶습니다."

집에 돌아온 나는 기도를 시작했다. 그동안 당했던 수많은 고통과 아픔이 다시금 생생히 살아 내 온몸을 찔러대는 것이었다. 나는 며칠간 기도하며 묻고 또 물었다.

"하나님 이 분을 받아들여야 합니까? 어찌해야 합니까? 지혜를 주세요. 또 다시 상처입고 싶지 않습니다. 배신당하고 싶지 않습니다."

그때 하나님의 응답이 내려왔다.

"귀한 내 딸아, 들어라. 이번에 보내는 자는 너와 평생을 함께할 종이다. 그동안 보냈던 자들은 너를 더욱 강하게 만들기 위함이었다. 함께 힘들고 소외받고 아파하는 자들을 위해 마음껏 사역을 해보거라."

나는 그렇게 해서 하목사님에게 말했다.

"목사님 부족하지만 우리 함께 해봐요."

"감사합니다. 목사님. 제가 목사님을 잘 섬기도록 하겠습니다."

나는 그렇게 하목사님과 함께 매일 기도하며 소외받고 힘들어하는 자들을 위해 동역을 하기 시작했다.

축복의 시작

●

"목사님 우리 김치 냉장고 보러 가요."

"네? 김치냉장고요?"

"네, 어제 저녁에 오신 전도사님이 목사님 모시고 김치 냉장고를 보러 가라고 하셨어요. 목사님이 고르시면 돈을 부쳐 주신다고 했어요."

"정말요? 제가 그걸 받아도 되는지 모르겠네요."

"전도사님이 은혜를 많이 받으셔서 감사로 섬기는 거니깐 아무 부담 갖지 마시고 같이 가요."

나는 얼떨결에 감사하기도 하고 죄송한 마음이 들기도 하면서 하목사님을 따라 나섰다. 서울 망우동에 있는 한 전자제품 가게를 찾아가게 되었다. 냉장고가 많이 있었다. 나는 어떤 냉장고를 사야할지 몰라서 하나님께 기도했다.

"사랑하는 딸아, 좋은 것을 사도록 하거라. 저기 가장 큰 하얀 냉장고를 사도록 하거라. 네가 가난하여 먹을 것이 없을 때에 자녀들은 못 먹여도 심방 갈 때면 꼭 빈손으로 가지 않고 사과 하나를 섬겨도 최고 좋은 것을 섬기지 않았느냐? 너는 굶어서 먹을 것이 없는데도 소외받고 가난한 이들을 위해서 작은 것이라도 최선을 다해서 섬기지 않았느냐? 내가 다 보았느니라. 네가 그렇게 섬기고 싶었기 때문에 나도 너에게 가장 좋은 것을 선물해주고 싶구나. 이것은 그 전도사가 선물하는 것이 아니라 내가 그 전도사의 마음을 감동시켜서 너에게 선물하는 것이다. 여기서 가장 좋은 것을 선택하도록 하거라. 이것이 내 뜻이니라."

"하나님, 부끄럽네요. 제가 무엇을 그렇게 섬겼다고 좋은 것을 주세요?"

"아니다. 폐부까지 보는 내가 너의 진실한 섬김을 다 보았느니라. 나는 심은 만큼 베풀어 주는 공평한 하나님이다. 성경에 부자들이 넣은 돈보다 과부가 가지고 있던 전부인 두 렙돈을 더 많이 여긴다고 적혀 있지 않느냐?"

그렇게 해서 나는 하나님이 말씀해 주신 냉장고를 구입하게 되었다.

더욱 깊은 회개와 영적인 깨달음을 통해서 풍성한 하나님의 은혜를 받기 시작하자 놀라운 변화가 일어났다. 그리고 타락한 세상에 빛과 소금의 역할을 감당하지 못하는 교회들에 대해 안타까워하는 기도가 나오기 시작했다.

그러면서 나는 뭔지 모르게 힘과 용기가 솟아났다. 사역을 하면서 기도해주면 전보다 더 놀라운 치유가 일어나는 거였다. 아파하는 영혼들과 대화하며 하목사님과 함께 그들을 위해 기도하면 변화가 일어나는 것이었다.

나의 신변에 작은 기적과 변화가 일어나기 시작한 것이다. 수많은 사람을 만나 함께 기도하고 여러 가지 사역을 해왔지만 이제는 나의 삶과 사역에 날개를 단 것 같았다.

제일 먼저 일어난 변화가 몸 둘 곳 하나 없던 나에게 셋방이 생겼다는 것이다. 다리 하나 뻗지도 못할 정도로 비좁은 곳에서 살던 내가⋯⋯. 어디 그뿐인가? 큰언니 집에 얹혀 살다가 반 지하방을 얻은 것이다. 비록 보증금 300만 원에 월세 30만 원을 내야 하지만 주변의 도움을 통해서 얻게 되었다. 치유사역을 통해서 은혜받은 분을 통해서였다.

작게 시작했지만 혼자 거주할 수 있는 공간에 머무르게 되자 무언가 좋은 일이 많이 일어날 것 같다는 예감이 들었다. 그런데 그 기대감이 현실로 돌아온 것이다.

김치냉장고뿐이 아니었다. 냉장고와 세탁기, TV, 옷장 등등. 치유해드린 분마다 나에게 필요한 것들을 하나씩 새 것으로 장만해서 보내는 것이 아닌가.

"예수님 이 정도만 해줘도 감사하고 기뻐요. 그만 주셔도 됩니다."

그러나 하나님의 응답은 그게 아니었다.

"사랑하는 딸아, 60평생을 온갖 고난을 겪으며 살았는데 이정도는 아무것도 아니다. 주변 이웃을 위해 헌신하며 섬겼는데 조금만 더 참고 견뎌라. 신명기 28장 1절에서 6절의 말씀처럼 너에게 더 큰 복을 베풀어 주겠노라."

하나님은 나를 오히려 위로해 주셨다. 그 이후로도 하나님께서는 여러 손길을 통해서 소소한 쓸 것들을 모두 다 공급해 주셨다. 나는 오로지 기도에만 전념할 수 있게 된 것이다.

환경이 바뀌면서 가족들과 주변의 친척들도 조금씩 일들이 풀리기 시작했다. 내가 거주하는 서울에 있는 반 지하방은 쥐도 가끔씩 나오고 곰팡이가 끼어있는 아주 초라하고 보잘것없는 집이었다. 하지만 그 집에 들어간 뒤로 매일매일 감사가 넘쳐났다. 그리고 언제부터인가 나와 같이 기도하는 분들의 삶 역시 응답의 열매들이 나타나기 시작했다. 나의 가족들도 마찬가지였다. 그 중에서도 가장 기뻤던 것은 막내아들이다. 수많은 고난을 이겨내며 열심히 살았지만 일이 풀리지 않아 힘들어했던 막내아들이 결혼을 하고 나서 아이를 낳자마자 마음을 다잡았던 것이다.

"어머니, 저도 주의 길을 갈게요."

듣던 중 반가운 소리였고 나는 기도로 막내 아들을 지원했다. 열심히 공부하더니 마침내 장로회 신학대학원에 시험을 보아서 합격을 한 것이다. 물론 쉽지는 않았다. 한국에서는 가장 입학하기 힘든 신학대학원으로 입학하기 위해서 재수, 삼수도 많이 한다고 들었다. 1차 시험은 합격했지만 두 번이나 면접에서 낙방을 했던 것이다.

그때마다 나는 너무 가슴이 아팠다. 왜 이렇게 쉽게 일이 풀리지 않는 걸까? 늘 풀리지 않는 삶이 나랑 비슷해서 그동안 너무 속이 상했는데 기적처럼 그해 겨울에 우리 아들이 시험에 당당히 합격한 것이다. 막내 아들이 주의 종의 길을 간다는 것이 그 무엇보다도 큰 보상이었고 감사였다. 물론 그냥 손 놓고 있었던 것은 아니었다. 아들이 시험 보는 당일 12시간을 기도했던 것 같다. 끈질긴 기도였다. 물론 기도 시간이 중요한 것은 아니지만 성경에 야곱이 환도 뼈가 부러져도 끝까지 포기하지 않고 기도에 승리한 것처럼 중요한 일이 있을 때는 그런 끈질긴 기도에 하나님은 응답을 하신다. 때로는 하나님이 나라와 민족을 위해서 기도할 때나 중요한 기도제목이 있을 때는 그렇게 오래 기도를 시키실 때가 있다. 수많은 고난을 겪은 막내아들이 앞으로는 가난하고 소외받고 고통받는 이들을 위해 쓰임 받을 수 있다는 생각을 하니 감사하고 감사하지 않을 수 없었다.

그렇게 나에게 쏟아져 내려온 축복은 주위에 퍼지고 겨울에 잠자고 있던 나뭇가지에 봄의 향내가 나며 싹이 트는 것 같았다. 특히 나와 함께 일하던 하목사님의 주변도 똑같은 기적이 일어났다.

하목사님의 형님인 하태효 집사를 만나게 되었다. 처음 그분을 만났을 때는 얼굴에 우울함과 불안함이 가득 차 있었다. 그러한 집사님의 모습을 보면서 열조들의 우상숭배, 부모님과의 묶임 그리고 삶의 답답함과 상처 때문에 그러한 힘든 인생을 사는 것 같다고 권유해주었다.

"집사님. 회개금식 기도를 삼일만 해보세요."

"회개금식 기도 한다고 나아질까요?"

은혜를 받은 것 같지만 회개금식에 대한 의문점을 가지는 것 같은 인상을 풍기면서 하집사님은 인사를 하고 돌아갔다. 이를 안타까워한 동생 하목사님이 부단히 권유하고 애원을 했는지 결국 하집사는 금식을 하게 되었다. 과거에는 IT사업 쪽으로 사업을 하고 싶어 했지만 연구만 오래 하다가 사업을 하려니 제대로 될 리가 없었다. 사업을 시작하지 못해서 집사님의 마음은 항상 지치고 힘이 들었다. 또 삶의 어려운 고비를 넘기느라 신경이 날카로워졌고 그런 환경 때문에 힘들어서 부부간에도 당연히 문제와 갈등이 있다는 것을 알게 되었다.

그러나 기적은 이내 일어났다. 금식을 한 뒤로 부부 사이가 조금씩 좋아졌다. 기도를 받으면서 어려운 고비도 넘기고 결국 화목도 이루었다. 절망 속에서 무엇 하나 제대로 풀리는 것이 없어서 힘들고 좌절했지만 주님은 그 하집사님의 삶에 변화를 허용하셨다. 그 뒤에 하나님께서 '뉴스타아이티 학원'이라는 이름을 주셔서 학원을 경영하게 되었다. 우여곡절의 시간도 있지만 조금씩 사업이 풀어지기 시작했다. 마음속에 기쁨과 감사를 찾을 뿐 아니라 하는 일들이 점점 풀리고 있어 미래의 소망이 보이자 집사님은 나를 평생 은인으로 모시겠다고 했다.

"목사님 평생 은인이십니다. 제가 이렇게 잘된 것은 다 목사님이 기도해주신 덕분입니다."

어느 날 내가 꿈을 꾸게 되었다. 꿈속에서 하목사님이 말했다.

"목사님 저 은색 차 좀 보세요."

꿈을 깨고 그 이튿날 하목사님에게 말했다.

"목사님 아무래도 차가 준비된 것 같아요."

"그러게요. 언제가 때가 되면 주시겠지요."

하목사님은 이렇게 말하고 웃기만 했다. 며칠이 지나서 하집사님이 찾아왔다.

"목사님, 제가 목사님께 차를 한 대 섬겨 드리고 싶습니다."

"어머, 제가 받아도 될지 모르겠네요."

"아닙니다. 목사님을 통해서 하나님이 베풀어주신 은혜가 너무 커서 작지만 최선을 다해서 섬겨드리고 싶네요. 시간을 내셔서 하목사와 함께 전시장에 차를 보러 가 보세요."

너무 신기하고 놀라서 하목사님과 함께 그 다음날 전시장에 갔다. 그런데 내가 바로 꿈에서 본 은색 차가 있었다. 얼마나 신기하고 놀라운 일인지 몰랐다. 상상도 하지 못했는데 하나님은 하집사님을 통해서 그 차를 선물해 주셨다.

얼마 지나지 않아 꿈속에서 '마이 하임 브라운'이라는 단어가 계속 들렸다. 아침에 일어나서도 그 단어가 잊혀지지 않아 너무 신기해서 하목사님에게 물었다.

"마이 하임 브라운이라는 단어를 자다가 들었는데 그 뜻이 뭔가요?"

"글쎄요, '마이'는 '나의'라는 뜻이고 '브라운'은 '갈색'이라는 뜻인데 '하임'은 영어가 아닌 것 같기도 하고 도저히 잘 모르겠네요."

그래서 큰 아들한테 전화를 했다.

"아들아, 꿈에 내가 '하임'이라는 단어를 들었는데 '하임'이라는 뜻이 무엇이냐?"

"엄마, 하임은 독일어인데 집이라는 뜻이야."

하목사님에게 '하임'이 집이라는 뜻이라고 말을 했다. 그랬더니 하목사님은 놀라면서 이야기를 했다.

"안그래도 말씀 드리려고 했는데 형이 목사님 집을 얻어 드리기로 했습니다. 제가 목사님을 모시고 부동산에 한번 가보라고 했어요. 무슨 연관이 있을 것 같아요."

3부. 주의 길

어느 부동산을 하목사님과 함께 가보게 되었다. 가자마자 바로 본 건물의 색깔이 브라운 색이었다. 그리고 집 보러 간 그 날 살던 사람들이 이사 가던 날이었다. 그래서 하목사님이 집을 보자마자 너무 마음에 들어서 하집사님에게 전화를 걸어 이 집을 계약하자고 해서 갑자기 반지하방에서 이사를 가게 되었다. 하집사님이 넉넉한 형편에서 섬긴 것이 아니라서 고맙기도 하지만 죄송한 마음이 들었는데 하나님의 섭리를 거부할 수가 없었다. 이후에는 또 다른 분을 통해서 하나님은 더 넓은 집을 허락해 주셨다. 지금까지 이집 저집을 전전긍긍하며 살아 왔기 때문에 꿈을 꾸는 것만 같았다.

하루는 어떤 분을 통해서 하나님은 생일날 너무 과분한 차를 선물해 주셨다. 그래서 너무 겁도 나고 하나님께 죄송해서 기도를 드렸다.

"하나님 저에게는 너무 과분합니다. 지금도 좋은 차를 타고 만족하고 있습니다. 싫습니다. 이렇게 좋은 차는 필요 없습니다."

"아니다. 내 종아, 네가 이웃에게 사과 하나라도 섬길 때 최고 좋은 것을 섬겼기 때문에 너에게 최고 좋은 것을 주는 것이 당연하지 않느냐? 그것이 심은대로 거두는 것이란다. 어떤 때는 돈 천 원이 없어서 이곳저곳 어렵고 힘든 가정을 심방하기 위해 걷고 또 걷고 때로는 몇 시간을 걸어서 가지 않았느냐? 지금도 네가 너무 고생을 해서 발이 아파 잠을 잘 이루지 못하는 것을 알고 있느니라. 내 자녀들을 치유할 때 몸도 연약한데 그 무거운 가방을 들고 지하철에서 땀이 비처럼 쏟아져 힘이 들어 잠시 역에서 내렸다가 탔던 적도 많지 않았느냐? 내가 너의 희생과 섬김을 다 보았느니라. 부담 갖지 말고 생일날 맞춰 너에게 주는 선물이니 감사히 받도록 하거라. 아무나 이런 선물을 주는 것이 아니다. 섬김과 희생이 있는 종에게 내가 선물하는 것이니라."

축복으로 인생을 바꿔주시는 하나님

●

어느 날 하 목사님이 나에게 말하는 거였다.

"미국에서 정 목사님이 선글라스 보내주신답니다."

"예? 그러면 혹시 하 목사님이 제가 선글라스 때문에 고생한 거 말씀하셨어요?"

"아니요. 그런 말 한 적 없습니다."

"그런데 왜 갑자기 정 목사님이 선글라스 보내주시죠?"

"저도 모르겠는데요? 그냥 그렇게 전하라고 해서……."

나는 깜짝 놀랐다. 미국에 사는 정사라 목사님은 베푸시는 섬 김이 이루 말할 수 없는 분이다. 얼굴도 본 적이 없고 만나지도 못한 분이었다. 그런데 그분이 나에게 선글라스를 선물로 보내

주신다는 게 아닌가. 그 전부터도 나에 대한 이야기를 하목사님에게 들어서 알 뿐이었는데도 미국에서 감사예물뿐 아니라 기도를 해드리면 여러 가지 명목으로 우리 재단에 많은 예물을 보내 주고 계신 분이다. 나는 기도하면서 그 돈으로 고아원과 양로원, 또 노숙자들… 어려운 개척 교회들을 섬기고 있다.

정목사님은 어떻게 알고 있었는지 나에게 필요한 걸 보내주셨다. 한번은 과로로 인해 몸이 힘들어 병원에 갔더니 의사가 칼슘과 단백질이 부족하다고 처방을 내린 적이 있었다. 그런데 신기하게도 때마침 정목사님은 단백질과 칼슘이 담긴 건강보조식품이라며 미국에서 보내준 적이 있었다. 그 정성을 생각하면 얼마나 고맙고 감사한지 말할 수가 없다. 더욱 신기한 것은 하나님이 필요한 것을 목사님을 통해서 보내주신다는 것이다.

얼마 전 목사님들 부부와 함께 유럽 여행을 간 적이 있었다. 프랑스, 스위스, 이태리 등등의 유럽 6개국을 돌면서 나는 정말 감격했다. 이 세상에 태어나서 여행이라고는 가본 적이 없는 나였기 때문이다. 생애 정식으로 가본 여행은 이것이 처음이었다. 여행을 가기 전에는 물도 제대로 먹을 수 없을 정도로 몸 상태가 좋지 않았지만 그런데 이상하게 가는 날부터 입맛이 돌기 시작했다. 즐겁고 음식도 맛이 있었다. 아마 고통과 괴로움만 가득했던 우리나라를 벗어나 새로운 땅으로 가게 되니 내 마음이 자유로웠던 것 같았다.

하지만 문제는 뜨거운 햇살이었다. 이탈리아 같은 남유럽의 나라들은 햇살이 너무 강했다. 다른 사람들은 경험이 있어서인지 선글라스와 모자들을 다 챙겨왔다. 나는 처음 가는 여행이라 그런 걸 챙길 생각조차 못 하고 있었다. 그저 들뜬 마음으로 여행갈 생각에만 기뻤던 것이다. 햇볕이 내리 쬐고 눈이 부셔서 얼마나 후회했는지 모른다. 같이 간 사람들에게 부탁을 했다.

"선글라스나 모자 좀 살 수 있게 해 주세요. 시간 조금만 내주세요."

그러나 시간을 짜서 바쁘게 움직여야 하는 일정상 나 하나를 위해서 그러한 것을 사러 쇼핑센터에 들를 수가 없었다. 관광 기념품을 사려 했더니 사람들은 좋은 걸 사야 한다고 전했다. 결국 그렇게 돌아다니다 살 기회를 놓쳐버리고 나 혼자서만 선글라스와 모자 없이 여행을 했다.

'왜 하필 나만 선글라스나 모자를 하나도 가져오지 못했을까?' 너무나 한심하고 바보 같았다.

하지만 한국에 돌아와서 이렇게 좋은 선글라스를 받게 된 것이다. 내 얼굴과 아주 잘 어울리는 좋은 것이었다. 너무 마음에 들었다. 추석이 되어 자녀들에게 보여주었더니 이구동성이었다.

"엄마 참 잘 어울려요 너무 멋있어요."

"어머니 너무 좋아요."

이건 모두 예수님께서 정 목사님을 통해 나에게 주시는 선물이었다. 나의 일거수일투족을 바라보며 너무 안타까우신 나머지 필요한 것들을 때에 따라서 전달해 주신 것이라고 생각하니 감사하기 이를 데 없었다.

그동안 30년 이상 사람들을 만나 상담도 하고 수많은 사람을 만나 대화를 나누었지만 얼굴도 모르는 사람을 지극정성으로 섬기는 사람은 한 번도 만나본 적이 없다. 부족한 나뿐만 아니라 자녀들, 손자, 손녀들까지 신경을 써 주신다. 아주 귀한 예수님의 마음을 갖고 계신 분이었다. 섬김이란 바로 이런 것이 아닌가 생각해본다.

하나님은 이웃을 섬길 때 지극정성으로 섬기는 것을 아주 기뻐하신다. 하나님은 주의 백성들이 이웃을 섬길 때는 이렇게 섬기기를 원한다는 것을 나는 정 목사님을 통해서 알 수 있었다.

그리고 정목사님은 감사하다는 말조차 하지 말라고 할 뿐 아니라, 주변 사람들에게 알리지도 말라고 한다.

정목사님은 미국에서도 매일 예수님을 섬기는 마음으로 노숙인 수십 명의 식사를 조용히 찾아가서 섬기고 있다. 섬김이 무엇인지 너무나 감동을 받고 있기에 정목사님을 이 글에 소개하는 것이다. 예수님께서도 마태복음 6장 3절에서 4절을 보면 '너는 구제할 때에 오른손이 하는 것을 왼손이 모르게 하여 네 구제함을 은밀하게 하라 은밀한 중에 보시는 너의 아버지께서 갚으시리라.'고 말씀하셨다.

> 또 누구든지 제자의 이름으로 이 작은 자 중 하나에게
> 냉수 한 그릇이라도 주는 자는 내가 진실로 너희에게 이르노니
> 그 사람이 결단코 상을 잃지 아니하리라 하시니라 (마 10:42)

전도서 3장 1절에 보면 '범사에 기한이 있고 천하만사에 다 때가 있나니'라는 말씀이 있듯이 웃을 때가 있으면 울 때가 있고 나갈 때가 있으면 들어올 때가 있다. 그 말씀을 보면 하나님께서는 한 사람 한 사람에게 힘들 때, 기쁠 때, 좋을 때, 나쁜 일 있을 때에도 늘 함께 계심을 알 수 있다.

내 인생은 죽고 싶을 정도로 힘들고 지친 인생이었다. 그때는 그렇게 힘들어야 할 때였다. 지금은 예수님께 간구하고 하나님 원하시는 뜻 안에서 순종하는 삶을 살려고 하니 하나님께서 귀한 만남의 축복을 주셔서 인생을 바꿔주셨다. 이제는 생각만 해도 하나님이 응답해 주시는 것을 계속 경험하고 있다. 책 한 권에 담기 힘들 정도로 누구도 부럽지 않은 영육의 축복을 주셨다. 무엇보다도 가장 중요한 것은 가족 간에 화목을 이루어 가게 하시매 감사할 뿐이다. 특별히 주치의 같은 약사부부 집사님을 만나게 하셔서 그들의 정성어린 돌봄을 통해서 나와 가족의 연약한 건강도 돌보게 하시는 하나님의 세밀한 은혜에 감사하지 않

을 수 없다. 이제는 최선을 다해서 주위 어려운 이웃들을 섬길 수 있게 되었다. 나누고 섬길수록 더 가난하고 어려워질 것 같은데 오히려 반대로 하나님이 공급해주시는 축복을 통해서 더 풍성하게 채워주시는 것을 계속 경험하고 있다. 이것이 하나님이 말씀하시는 영적인 축복의 원리이다.

이제 우리는 우리의 인생을 바꿀 때가 되었다. 오로지 하나님에게 나의 모든 것을 맡기고 그 뜻대로 발걸음을 옮기면 된다. 그리고 이웃을 내 몸처럼 사랑하고 몸소 나누면서 하나님의 말씀을 하나라도 실천하는 것이 하나님을 기쁘게 해드리는 길이라 믿어 의심치 않는다.

흩어 구제하여도 더욱 부하게 되는 일이 있나니
과도히 아껴도 가난하게 될 뿐이니라 (잠 11:24)

4부

희망의 메시지

Healing

믿음의 선포

믿음을 가지고 예수님을 믿고 나름대로 기도하면서 살아가지만 고통받는 분들이 너무도 많이 있을 것입니다.

하나님은 아픈 자와 힘든 자의 편이 되셔서 우리의 일거일동을 보시면서 고비 고비를 넘겨주시는 분입니다. 하나님을 절대로 원망하지 마시고 그저 울기만 해도 아프다고 생각만 해도 하나님은 그 아픔을 모두 보시면서 위로해 주시는 분입니다. 제가 하루는 너무 너무 고난이 많았기 때문에 하나님께 기도를 이렇게 했습니다.

"하나님! 제가 어떻게 해 드려야 하나님이 기쁘시겠습니까?"

그랬더니 하나님께서 응답하셨습니다.

"사랑하는 종아, 나는 내 백성들이 기뻐하는 것이 가장 기쁘구나!"

그래서 제가 막 따졌습니다.

"정말 웃기시네요. 정말 환경도 기쁘지 않고 되는 것도 없는데 어떻게 기뻐할 수가 있겠습니까?"

제가 하나님께 막 따지고 신경질이 나더라구요. 제가 기도하면 이렇게 말씀하셨습니다.

"항상 기뻐하라. 딸아 기뻐하라. 네가 기쁜 것이 내가 기쁘다."

그럴 때마다 나는 막 짜증이 났습니다. 기뻐할 것이 한 가지도 없는데 그렇게 기뻐하라는 말씀을 하실 때 저는 막 짜증이 났습니다.

"정말 웃기시는 하나님이시네요. 환경도 기쁘지 않고 좋은 일이 한 가지도 없는데 어떻게 기쁠 수가 있겠습니까?"

하나님께서 '로마서 10장 10절' 말씀을 주시면서 말했습니다.

"사람이 마음으로 믿어 의에 이르고 입으로 시인하여 구원에 이른다. 입으로 시인을 해라. 기쁘다. 기쁘다. 기쁘다. 그러면 그것이 머리에 각인이 돼서 영혼 속으로 마음으로 와서 기쁨이 올라온다."

이런 말씀을 하시는 것을 제가 들었습니다. 정말 기쁘지 않은 환경 속에 계신 분들은 억지로라도 '나는 기쁘다. 기쁘다.' 그렇게 시인하시면 깊은 내면에서 기쁨이 올라온다는 것을 느낄 것입니다. 부모들은 자녀들이 힘들게 사는 모습을 보면 가장 가슴이 아픕니다. 겪어 본 부모님들은 다 아시겠지만 부모들은 자식이 잘 되는 것이 소원인데 자식이 아파하는 것을 보면 정말 심장이 멎을 것 같고 내가 죽어서라도 저 자녀들이 잘 된다면 정말 죽어도 좋을 것 같은 마음이 듭니다. 어느 부모라도 그런 마음을 가지고 있다고 생각합니다. "범사에 감사하라."고 하나님께서 말씀하셨는데 우리가 힘들 때는 감사가 잘 되지 않습니다. 오히려 원망이 되고 짜증이 나고 죽고 싶은 마음이 생겨나서 감사가 되지 않습니다. 하지만 말이 씨가 된다고 입술의 고백만 잘해도 됩니다.

> 죽고 사는 것이 혀의 힘에 달렸나니 혀를 쓰기 좋아하는 자는
> 혀의 열매를 먹으리라 (잠 18:21)

그래서 저는 어떤 때는 울화가 치밀어 오를 정도로 열악한 환경을 보면 감사거리가 하나도 없는데도 하나님께서 감사하라고 하니깐 집에 있는 것을 막 집어 던지고 베개를 집어 던지고 이불을 돌돌 말아서 데굴데굴 구르면서 외친 적도 있습니다.

"범사에 감사합니다. 범사에 감사합니다."

그러면 그 숨 막혔던 순간이 어디론가 사라지면서 마음이 편안해지는 것을 느끼게 될 때가 많이 있었습니다. 그래서 힘들고

지쳐 있는 환경 때문에 아무 감사거리가 없지만 그냥 억지로라도 입으로 시인하면 평안함이 온다는 것을 분명히 느꼈기 때문에 저와 같이 힘들고 어려운 분들은 그저 입으로 계속 감사하시기 바랍니다. 그렇게 하면 감사한 마음이 들게 되고 또 평안함이 심령에 찾아오기 때문에 그렇게 하시면 좋겠다는 생각이 듭니다.

입술의 고백 때문에 하나님께서 저에게 좋은 일을 많이 베풀어 주셨다는 것을 말씀드리고 싶습니다. 어느 날부터 저의 입술의 고백을 바꿨습니다.

"힘들다. 살기 싫다. 내 인생은 왜 이럴까?"

이런 고백을 했습니다.

"나는 행복하다. 기쁘다. 복덩이다. 자녀들도 모두 행복하게 산다."

이렇게 고백을 바꿨더니 실제로 저와 가정과 자녀들을 그렇게 인도하고 계시는 것을 매일 체험하고 있습니다. 그리고 나는 다른 고백도 했습니다.

"나는 세계에서 전인 치유 1인자이다. 가난한 이들, 소외받는 이들을 최고로 섬기는 자이다. 전 세계 정치인들, 기업가들, 법조인들, 목사님들, 교수들, 의료인들 모두 만나서 치유해 줄 것이다."

그랬더니 국회의원들과 시장 같은 정치인들, 교수들, 법조인들, 사업가들, 큰 교회 목사님들을 만나서 치유를 하게 하셨습니다. 물론 예수님은 명예나 권력 있는 사람들보다 소외되고 가난한 이들에게 더 관심이 많습니다. 저 또한 예수님의 뜻을 따라 최선을 다해서 가난하고 소외받은 분들을 위해서 섬기고 사역하고 있습니다.

하지만 대통령과 정치인이 바뀌면 나라가 살고 기업가들이 바뀌면 기업이 살고 목사님들이 바뀌면 교회가 살고 지도층이 바뀌면 그 사회가 바뀌게 되어 있습니다. 마음이 슬프고 아프고 외롭고 답답한 마음이 계신 분이 있다면 야고보서 4장 7절에 보면 '마귀를 대적하라. 그리하면 너희를 피하리라.' 는 말씀이 있듯이 '예수 그리스도 이름으로 내 속에 있는 슬픈 영아, 가난한 영아, 외로운 영아, 두려움의 영아 떠나갈 지어다.' 라는 선포기도를 하시면 굉장한 위력이 있습니다.

'너희 말이 내 귀에 들린 대로 내가 너희에게 행하리라.' 는 말씀이 민수기 14장 28절에 있듯이 하나님은 우리말을 다 들어 주십니다. 한 가지도 빠짐없이 다 들어 주십니다. 죽고 사는 것이 혀의 권세에 있다는 것을 정말 느꼈습니다. 그래서 입술의 고백만 잘해도 인생이 바뀐다는 것을 절실히 느꼈습니다.

회개

기도는 많이 하면 할수록 좋고 계속 쌓인다는 것을 우리는 알 수 있습니다.

하지만 하나님은 우리의 일거일동을 아시기 때문에 막 목이 터져라 소리를 지르고 기도만 많이 한다고 해서 들어주는 것이 아닙니다. 그저 '아시지요.'라고 이렇게만 해도 다 아시고 계신 다는 말씀을 드리고 싶습니다. 시편 66편 18절에 '내가 나의 마음에 죄악을 품었더라면 주께서 듣지 아니하시리라.'는 말씀이 있듯이 마음속에 미움, 욕심, 시기, 질투, 원망, 짜증, 불평, 걱정, 근심, 낙심을 품고 있으면 하나님 앞에서는 모두 죄입니다.

내적치유를 알게 되면서 제가 쓴 뿌리를 가지고 사람을 미워하고 근심, 걱정하면서 백 시간을 기도해도 하나님은 잘 안 들어 주신다는 것을 느꼈습니다.

저는 답답한 사람이 샘을 판다는 말이 있듯이 너무 너무 답답했기 때문에 그냥 무릎만 꿇고 기도만 했습니다. 어떤 때는 열 시간을 기도하고 어떤 때는 밤을 꼬박 새우고 기도해도 한 가지도 열매가 없었습니다. 내적치유를 받고 그 말씀을 바라볼 때 내가 남편도 미워하고 자녀도 미워하고 원수를 맺고 기도했더니 한 가지 열매도 없다는 것을 알게 되었습니다. 그래서 내적치유의 기본은 회개라는 것을 깨닫게 되었습니다.

시편을 보면 다윗 왕은 충신 우리아의 아내를 빼앗고 우리아를 죽였습니다. 다윗이 저지른 악행이 하나님 보시는 앞에서 옳지 못한 것이라는 것을 나단 선지자를 통해서 지적을 받았을 때 다윗은 눈물로 하나님께 회개했습니다. 침상을 적시면서 자신의 죄를 울면서 통회 자복하며 회개했습니다. 죄를 지적받았을 때 다윗은 진심으로 뉘우쳤습니다. 다윗이 지적받은 죄를 울면서 회개했을 때 하나님께서 다윗의 죄를 용서해 주셨습니다.

우리 또한 이 땅에 살아가면서 죄를 지을 때가 있습니다. 다윗처럼 음란죄를 지을 수도 있고 도둑질을 할 수도 있고 술 먹고 방탕하게 살 수도 있습니다. 하지만 하나님께서는 우리의 죄를 자백만 해도 사해 주신다고 말씀합니다.

만일 우리가 우리 죄를 자백하면 그는 미쁘시고 의로우사

우리 죄를 사하시며 우리를 모든 불의에서

깨끗하게 하실 것이요 (요일 1:9)

물론 회개는 그 죄에서 돌이키는 것도 포함되어 있습니다. 하나님께 불순종하는 것이 죄 중에 가장 큰 죄라고 볼 수 있습니다. 사람은 모두 죄인입니다. 하나님께서는 의인을 부르러 오신 것이 아니라 죄인을 부르러 오셨다고 성경에 기록되어 있습니다. '의인은 없나니 하나도 없다.'는 말씀이 있습니다. 죄를 안 지을 수는 없습니다. 그렇다고 죄를 지었다고 자포자기하는 것은 옳지 않습니다. 하나님 앞에 회개하면서 선한 열매를 맺어 가야 합니다. 하나님을 진짜 믿는다면 하나님의 뜻을 행할 수밖에 없습니다. 그래서 저를 찾아오시는 분들에게 주로 회개를 강조합니다. 우리의 죄악 때문에 하나님과의 담이 막혀있기 때문입니다.

저에게 찾아오시는 분들에게 성령께서 어떤 부분을 회개해야할지 알게 해주셔서 알려드리면 거기에 순종하며 회개하는 분들은 점점 영이 맑아지면서 묶여 있는 문제들이 풀려나가는 것을 계속 확인하고 있습니다. 하나님은 어떻게 해서든지 우리가 죄를 짓지 않기를 원하시며 죄를 지었다면 회개하며 그 죄에서 돌이키기를 원하십니다. 그렇게 했을 때 우리의 영육이 복을 받

게 되어 있습니다.

아무리 능력을 행하고 귀신을 내어 쫓는 능력이 있다고 하더라도 우리의 삶이 선한 열매가 나오지 않고 죄악 중에 거한다면 하나님과 상관이 없는 인생을 살 수가 있습니다. 귀신을 쫓아내고 병든 자들을 고치는 기적이 일어나는 능력 있는 삶도 중요하지만 성령 충만한 삶이란 사랑, 희락, 화평, 오래 참음, 자비, 양선, 충성, 온유, 절제의 지속적인 성령의 열매가 나오는 삶을 말하는 것입니다. 우리가 100% 죄를 안 짓고 살 수는 없지만 하나님 앞에서 최선을 다해서 생각으로나 행위로 죄를 안 지으려고 노력하고 하나님 앞에 회개하는 자세로 살아간다면 생각만 해도 하나님이 우리의 기도에 응답해 주실 것입니다.

뿐만 아니라 여러분 이 땅에서 시온의 대로의 인생을 살 수 있을 뿐 아니라 영원한 천국에서 예수님과 함께 영원토록 사는 축복을 누릴 수가 있을 것입니다.

토설기도

치유의 핵심 중의 하나는 토설기도입니다. 어려서부터 받은 아픔을 다 내려놓는 것이 치유받는 것입니다. 상처받은 것이 잠재의식 속에 남아 있음을 알아야 합니다. 토설이란 것은 내면에 숨겼던 것을 말로 드러내는 것입니다.

백성들아 시시로 그를 의지하고 그의 앞에 마음을 토하라
하나님은 우리의 피난처시로다 (시 62:8)

토설은 예수님께 마음을 다 내어 놓고 그대로 예수님께 호소하는 것입니다. 어떤 사람을 욕하고 싶으면 욕도 해 보십시오.

미우면 밉다고 그렇게 말씀해 보십시오. 싫으면 싫다는 말씀을 예수님께 해 보십시오. 죽이고 싶다면 죽이고 싶다는 말씀을 예수님께 다 해 보십시오.

예수님은 우리가 진실한 마음을 가지고 구하는 것을 가장 기뻐하십니다. 가식적으로 마음이 힘든데 사람이 미운데 마음속에 숨기고 간구하는 것보다 마음에 있는 그대로를 예수님께 보여 보십시오.

오히려 '죽고 싶습니다. 살기 싫습니다. 외롭습니다. 상대방이 미워 죽겠습니다. 죽이고 싶습니다.'와 같은 솔직한 기도를 예수님은 기뻐하십니다. 그렇게 하면 원수까지도 사랑하는 마음을 가지도록 예수님께서 은혜를 주십니다. 쓰레기통에 쓰레기가 차 있으면 비우듯이 우리 심령도 마찬가지입니다. 시편에 보면 하나님의 마음에 합한 다윗왕도 토설의 명수였습니다. 토설한 내용이 시편 여러 군데에 있지만 특별히 109편에 자세히 잘 기록되어 있습니다. 마음껏 소리 내어 부르짖으며 예수님께 토설해 보십시오.

토설의 기도는 위력이 있습니다. 미워하는 상대방이 불쌍해지고 사랑스러워질 때까지 토설해 보십시오. 놀라운 일들이 일어날 것입니다. 마음을 털어놓고 예수님께 구해 보십시오. 간구해 보십시오. 우리 예수님은 마음속에 있는 것을 기도를 통해 토해 내는 것을 원하십니다. 그러한 기도를 예수님이 듣기 원하십니다.

아무도 모르지만 예수님은 다 보고 계십니다. 알고 계십니다. 마음의 소원도 아시고 모든 생각도 아시고 우리의 머리털도 세신 예수님께서 우리의 일거일동을 보고 계십니다. 마음속에 염려하고 근심하고 두려워하고 짜증내고 분내고 음란한 생각을 가지고 이것 달라 저것 달라 구하는 것보다 차라리 이렇게 기도하세요.

'예수님 저는 더러운 놈입니다. 똥물 같은 놈입니다. 지저분합니다. 걸레 같습니다.'

그렇게 자기 있는 모습 그대로를 내놓고 토설하는 기도를 예수님은 기뻐하십니다.

물론 하나님의 자녀라는 것을 부정하라는 것이 아닙니다. 우리의 심령 상태를 예수님께 토설하라는 것입니다.

누구나 죄 없는 사람은 없습니다. 우리 마음이 때로는 똥물일 수도 있고 우리 마음이 때로는 쓰레기일 수도 있습니다. 그럴 때마다 자기 자신을 위하여서 토설기도를 하면 예수님은 기뻐하십니다.

저는 예전에 마음에 아집도 있었고 고집도 있었고 미움도 있었고 시기도 있었고 질투도 있었고 음란도 있었고 나쁜 것은 다 가지고 있었습니다.

하지만 예수님께 제 마음을 토하면서 마음껏 울었습니다. 슬픔을 내어 놓고 마음껏 구해 봤습니다. 욕도 했습니다. 미워하는 사람의 욕도 하고 죽이고 싶다는 말도 해 봤고 안한 것이 없습니다. 그러니 여러분들도 마음에 있는 그대로를 주님 앞에 내어 놓고 토해보십시오. 예수님은 그런 간구를 원하고 계십니다.

저에게 찾아오시는 분들이 이런 토설기도를 통해서 가정에 화목을 이루고 풀리지 않는 문제들이 풀리는 것을 너무 많이 체험했습니다. 사랑하는 목사님, 선교사님, 장로님, 권사님, 집사님, 형제자매님 저와 같이 그렇게 마음을 다 내어 놓고 예수님께 토설기도해 보십시오. 속이 시원합니다.

사람한테 가서 마음을 털어놓으면 그것은 흉이 됩니다. '말 하지 말라.'고 부탁하는 말까지 하는 것이 사람의 모습입니다.

하지만 우리 예수님은 우리의 마음을 토해내고 다 털어놓을 때 너무 너무 우리를 귀하게 보십니다. 우리 마음을 너무 잘 아시기 때문에 예수님은 그런 간구와 토설의 기도를 다 듣고 계십니다. 예수님은 듣고 계시면서 오히려 우리를 위로하시는 분이시지 우리에게 책망하시고 야단치시는 분이 아니시라는 것을 여러분이 아시기 바랍니다.

저는 남편이 원수 같았고 형제들, 자녀들, 친척들, 목사님들을 많이 미워했었지만 토설기도를 통하여 그렇게 힘들었던 마음이 편안한 마음으로 바뀌졌고 지금은 이렇게 예수님께 사랑을 받고 일대기 책까지 쓰도록 은혜를 주셔서 하나님께 얼마나 감사한지 모릅니다.

여러분들도 그렇게 마음의 아픔을 내려놓고 하나님께 호소하십시오. 토설하십시오. 간구하십시오. 욕도 해도 됩니다. 내가 갖고 있는 마음 그대로 내려놓고 예수님께 토설할 때 우리 예수님은 더 기뻐하시고 사랑하시고 더 위로해 주십니다.

섬김

우리 예수님은 '남을 나보다 낫게 여겨라.'는 말씀을 하셨습니다. 이런 말씀은 설교시간에 늘 듣는 말씀입니다. 저는 남을 나보다 낫게 여기는 것이 그냥 나의 부족을 느끼면서 그 사람을 존경하고 높은 위치에서 바라보라는 것인 줄만 알았습니다.

하지만 성경에 나오는 '남을 나보다 낫게 여겨라.'는 말씀은 어려운 자가 있거나 그 사람이 먹을 것이 없다면 생각만 하거나 말로만 위로하지 말고 그 사람의 쓸 것을 냉수 한 그릇이라도 대접하면서 섬기는 것을 말씀하신다는 것을 깨달았습니다. 그래서 남을 나보다 낫게 여기는 것은 주위에 어렵고 힘든 사람이 있다면 그런 사람의 아픔을 실질적으로 같이 나누고 그 사람의 쓸 것을 채워 주라는 의미입니다.

야고보서 2장 17절에 '행함이 없는 믿음은 그 자체가 죽은 것이라.'는 말씀이 있습니다. 하나님은 소외되고 가난하고 어렵고 병든 자들을 사랑하고 돌보는 것을 가장 기뻐하십니다. 길에 지나가는 노숙인들을 볼 때 대부분 많이 줘봐야 천 원을 줍니다. 천 원을 주는데도 막 자신감이 생깁니다. 못 줄 때도 있지만 저도 천 원을 주면서 많이 낸 것처럼 아주 자부심을 가지고 살았는데 어느 날 제가 기도하던 중에 예수님께서 말씀하셨습니다.

"사랑하는 종아, 노숙자처럼 그런 어려움을 겪는 사람들도 모두 내 자녀이다. 내가 사랑하는 백성들이다. 그들이 저렇게 되고 싶어서 됐겠느냐? 저렇게 노숙 생활을 할 수밖에 없고 정신병이 걸려서 길에서 왔다 갔다 하는 사람들도 그렇게 되고 싶어서 된 것이 아니다. 본인들의 죄도 있지만 부모들의 악행과 윗대의 우상숭배의 영향과 악행을 통해서 저들이 저렇게 된 것이다. 저들이 무슨 큰 잘못이 있겠느냐? 선한 끝이 있고 악한 끝이 있듯이 악을 뿌려 놓은 가정은 악을 거두게 되고 선을 뿌려 놓은 가정은 선을 거두게 된다. 저렇게 될 수밖에 없는 자들이다. 저들이 술을 먹든지 담배를 피든지 무슨 행동을 하든지 너는 할 도리만 하여라. 저 사람이 적어도 식사 한 끼라도 먹을 것을 공급해 줘라. 대접해 줘라."

이렇게 하나님의 응답이 왔습니다.

너를 위하여 새긴 우상을 만들지 말고 또 위로 하늘에 있는 것이나 아래로 땅에 있는 것이나 땅 아래 물속에 있는 것의 어떤 형상도 만들지 말며 그것들에게 절하지 말며 그것들을 섬기지 말라 나 네 하나님 여호와는 질투하는 하나님인즉 나를 미워하는 자의 죄를 갚되 아버지로부터 아들에게로 삼사 대까지 이르게 하거니와 (출 20:4-5)

우리의 조상들은 범죄하고 없어졌으며 우리는 그들의 죄악을 담당하였나이다 (애 5:7)

그래서 길거리에서 남루한 옷을 입고 정신이 없어서 다니는 노숙인일지라도 형편이 안 되면 어쩔 수 없지만 최소한 '만 원'을 줘야겠다는 것을 알게 되었습니다. 전에는 그렇게 하지 못했지만 이제는 그런 분들을 보면 최선을 다하려고 노력하는 사람 중의 한 사람입니다. 지하방 생활을 하던 시절, 하루는 집을 나서던 중 집앞에 쪼그리고 앉아 라면을 먹고 있는 노숙인을 보게 되었습니다. 예수님께서 말씀하셨습니다.

"저 자가 바로 나 예수다. 나를 섬기듯이 섬겨라."

말씀해 주셔서 그 분을 볼 때마다 섬기려고 최선을 다했습니다. 그때부터 하나님이 저와 자녀들에게 풍성함의 많은 은혜를 베풀어 주셨습니다.

너희 중에는 그렇지 않아야 하나니 너희 중에 누구든지 크고자 하는 자는 너희를 섬기는 자가 되고 너희 중에 누구든지 으뜸이 되고자 하는 자는 너희의 종이 되어야 하리라 인자가 온 것은 섬김을 받으려 함이 아니라 도리어 섬기려 하고 자기 목숨을 많은 사람의 대속물로 주려 함이니라 (마 20:26-28)

어려울수록 섬기십시오. 어려울수록 나누십시오. 돈이 많을 때는 누구나 다 할 수 있지만 형편이 어려울 때 나누는 것이 진짜 복이 됩니다. 창세기에 보면 아브라함이 천사들을 정성을 다해서 대접했을 때 많은 축복을 받았습니다. 때로는 예수님이 가난하고 소외받은 사람으로 우리를 만나러 오실 수도 있습니다. 어려운 사람을 정말 예수님 대하듯이 대접을 잘하면 아주 큰 복을 받을 뿐만 아니라 하나님의 뜻대로 살아갈 수 있습니다.

인자가 자기 영광으로 모든 천사와 함께 올 때에 자기 영광의 보좌에 앉으리니 모든 민족을 그 앞에 모으고 각각 구분하기를 목자가 양과 염소를 구분하는 것 같이 하여 양은 그 오른편에 염소는 왼편에 두리라. 그 때에 임금이 그 오른편에 있는 자들에게 이르시되 내 아버지께 복 받을 자들이여 나아와 창세로부터 너희를 위하여 예비된 나라를 상속받으라. 내가 주릴 때에 너희가 먹을 것을 주었고 목마를 때에 마시게 하였고 나그네 되었을 때에 영접하였고 헐벗었을 때에 옷을 입혔고 병들었을 때에 돌보았고 옥에 갇혔을 때에 와서 보았느니라. 이에 의인들이 대답하여 이르되 주여 우리가 어느 때에 주께서 주리신 것을 보고 음식을 대접하였으며 목마르신 것을 보고 마시게 하였나이까? 어느 때에 나그네 되신 것을 보고 영접하였으며 헐벗으신 것을 보고 옷 입혔나이까? 어느 때에 병드신 것이나 옥에 갇히신 것을 보고 가서 뵈었나이까? 하리니 임금이 대답하여 이르시되 내가 진실로 너희에게 이르노니 너희가 여기 내 형제 중에 지극히 작은 자 하나에게 한 것이 곧 내게 한 것이니라 하시고 또 왼편에 있는 자들에게 이르시되 저주를 받은 자들아 나를 떠나 마귀와 그 사자들을 위하여 예비된 영원한 불에 들어가라 내가 주릴 때에 너희가 먹을 것을 주지 아니하였고 목마를 때에 마시게 하지 아니하였고 나그네 되었을 때에 영접하지 아니하였고 헐벗었을 때에 옷 입히지 아니하였고 병들었을 때와 옥에 갇혔을 때에 돌보지 아니하였느니라. 하시니 그들도 대답하여 이르되 주여 우리가 어느 때에 주께서 주리신 것이나 목마르신 것이나 나그네 되신 것이나 헐벗으신 것이나 병드신 것이나 옥에 갇히신 것을 보고 공양하지 아니하더이까? 이에 임금이 대답하여 이르시되 내가 진실로 너희에게 이르노니 이 지극히 작은 자 하나에게 하지 아니한 것이 곧 내게 하지 아니한 것이니라 하시리니 그들은 영벌에, 의인들은 영생에 들어가리라 하시니라 (마 25:31-46)

예수님 품으로

●

하나님을 섬기지 않으시는 여러분 쓸쓸하고 고독하고 슬퍼서 죄 때문에 아파하지 마시고 하나님께로 돌아오십시오. 하나님은 죄인이 회개하고 돌아오기를 기다리고 계십니다. 울고 있을 때 슬퍼할 때 고독할 때 아파할 때 더 가까이서 우리를 보시면서 함께 하시면서 울어 주시고 보이지는 않지만 눈물도 닦아 주시고 죽고 싶을 때 천사들을 보내 주셔서 죽음을 면케 하시는 너무도 좋으신 하나님이십니다.

아직도 하나님을 모르고 고독 속에서 힘들어 하고 외로워서 슬픔에 잠겨 계시는 형제, 자매님들 주님 품으로 돌아오시기 바랍니다. 하나밖에 없는 독생자 예수님을 하나님께서는 우리의 죄 때문에 이 땅에 보내주셔서 우리의 죄 값을 치르게 하셨습니다.

예수님은 죄인을 만나러 오신 분이십니다. 의인은 하나도 없기 때문에 인간은 모두 죄인입니다. 열조들의 악행과 자신의 죄를 통해서 자신도 모르게 힘들게 살 수밖에 없는 많은 사람들이 이 땅에는 얼마나 많은지 모릅니다.

하나님께서 이 땅에 인간으로 오셔서 33년 동안 아픔과 슬픔을 가진 자들, 고난 받는 자들, 병든 자들, 소외된 자들, 고아와 과부들의 친구가 되고 싶어서 구원하고 싶어서 갖은 모욕과 고통을 당하면서까지 우리를 사랑해 주셨습니다. 의인을 찾고 계셨지만 의인은 한 사람도 없기 때문에 피 값을 치르면서까지 십자가에 매달려 갖은 고통과 모욕을 당하시고 죽기까지 하셨습니다. 우리의 친구가 되시고 천국백성 삼아 주시려고 죽기까지 하셨습니다. 주님께서는 가난한 자들, 병든 자들, 고아와 과부, 소외받은 자들을 더 찾고 계십니다. 더 사랑하고 계십니다. 사랑에는 이유가 없습니다. 하나님께서 너무 너무 사랑하신 아들을 죄인들 대신 죽게 하시려고 이 땅에 보내주실 때는 얼마나 마음이 아프셨겠습니까? 내 죄 때문에 하나밖에 없는 독생자 예수 그리스도를 이 땅에 보내 주셔서 내 죄를 대신하여 십자가의 고통을 받게 하시고 구원시켜 주신 것입니다.

사랑하는 형제, 자매 여러분. 고통스러워하지 마시고 주님 품으로 돌아오셔서 주님께 기도해 보십시오. 주님께서는 약한 자의 편이 되시고 힘들어하는 자의 편이 되셔서 함께 울어도 주시고 흘린 눈물을 닦아 주시며 하나님 보좌 우편에서 우리 죄인을 위하여서 간구하고 계신 분이십니다. 하나님을 믿지 않는 형제, 자매님들 힘을 내십시오. 힘이 없을 때 힘을 주시는 우리 예수님을 바라보십시오.

저도 수없는 아픔과 배고픔을 겪으면서 이 날까지 살게 된 것은 우리 예수님께서 붙들어 주셨기 때문입니다. 여러분 꼭 힘을 내십시오.

거리에서 노숙 생활을 하는 노숙자님들 힘을 내십시오. 가난이 죄가 아닙니다. 우리 예수님은 힘없는 자의 편이 되시고 가난한 자의 친구이십니다. 노숙자님들 혹시라도 아프고 울고 싶고 죽고 싶고 답답해서 숨이 막혀서 어쩔 줄 모르는 마음이 있다면 우리 예수님을 만나보십시오. 기도해 보십시오. 힘을 주십니다. 용기를 주십니다. 새 힘을 주십니다. 희망을 주십니다. 예수님을 믿고 섬기시면 천국도 갈 수가 있습니다.

> 여호와를 경외하는 것이 지식의 근본이거늘 미련한 자는 지혜와 훈계를 멸시하느니라 (잠 1:7)

분명히 천국과 지옥이 있습니다. 저는 예수님께서 영적인 눈을 열어주셔서 천국도 보고 지옥도 보았습니다. 천국은 너무도 좋은 곳인데 지옥은 얼마나 무서운지 모릅니다. 어떤 사람들은 유황불에서 저를 보더니 물 한모금만 달라고 아우성을 치는 것을 똑똑히 보고 왔습니다. 지옥에 가서 고통당하는 사람들을 보았을 때에 이 세상 어떤 말로 표현할 수 없을 정도로 마음이 아팠습니다. 잠깐의 쉼도 없이 이 땅의 어떤 고통과 비교할 수 없는 고통을 영원토록 당해야 하는 곳이 지옥입니다.

여러분, 천국 꼭 가셔야 합니다. 천국은 아름다운 곳입니다. 너무도 좋은 곳입니다. 이 땅에서 슬프고 가난하고 외롭고 아프고 고독함으로 살아오지 않았습니까? 예수님은 그러한 자의 편이 되셔서 그런 분들이 천국에 오시기를 기다리고 계십니다. 이 땅에서는 슬프고 외롭고 고통 속에서 살았을지라도 우리 예수님 품으로 돌아오시면 먼 훗날 천국에 꼭 갈 수가 있습니다. 우리 예수님은 이 땅에서 삼 일 동안 죽으셨다가 부활하시고 천국으로 올라가셨습니다. 천국은 예수님이 계신 곳입니다. 우리의 아픔을 위로하시고 우리의 슬픔을 함께 슬퍼하시면서 천국에서 간구하고 계십니다.

형제, 자매님들 힘을 내십시오. 천국은 분명히 있습니다. 가난한 자의 편이 되셔서 우리 예수님은 눈물을 흘리면서 간구하고 우리가 천국 오기를 기다리고 계십니다. 천국은 영원토록 사는 곳입니다. 지옥은 무서운 곳입니다. 지옥은 꺼지지 않는 유황불

속에서 영원히 사는 곳입니다.

한 부자가 있어 자색 옷과 고운 베옷을 입고 날마다 호화롭게 즐기더라. 그런데 나사로라 이름 하는 한 거지가 헌데 투성이로 그의 대문 앞에 버려진 채 그 부자의 상에서 떨어지는 것으로 배불리려 하매 심지어 개들이 와서 그 헌데를 핥더라. 이에 그 거지가 죽어 천사들에게 받들려 아브라함의 품에 들어가고 부자도 죽어 장사되매 그가 음부에서 고통 중에 눈을 들어 멀리 아브라함과 그의 품에 있는 나사로를 보고 불러 이르되 아버지 아브라함이여 나를 긍휼히 여기사 나사로를 보내어 그 손가락 끝에 물을 찍어 내 혀를 서늘하게 하소서 내가 이 불꽃 가운데서 괴로워하나이다. 아브라함이 이르되 얘 너는 살았을 때에 좋은 것을 받았고 나사로는 고난을 받았으니 이것을 기억하라 이제 그는 여기서 위로를 받고 너는 괴로움을 받느니라. 그뿐 아니라 너희와 우리 사이에 큰 구렁텅이가 놓여 있어 여기서 너희에게 건너가고자 하되 갈 수 없고 거기서 우리에게 건너올 수도 없게 하였느니라. 이르되 그러면 아버지여 구하노니 나사로를 내 아버지의 집에 보내소서! 내 형제 다섯이 있으니 그들에게 증언하게 하여 그들로 이 고통 받는 곳에 오지 않게 하소서 아브라함이 이르되 그들에게 모세와 선지자들이 있으니 그들에게 들을지니라. 이르되 그렇지 아니하니이다 아버지 아브라함이여 만일 죽은 자

형제, 자매님들 예수님을 섬기십시오. 그렇게 예수님을 섬기고 살 때에 천국으로 갈 수가 있습니다. 사랑하는 형제, 자매님, 하나님이 누구신지 모르는 분들은 이 책을 읽으시면서 용기를 가지십시오. 희망을 가지십시오.

'천국은 침노를 당하나니 침노하는 자는 빼앗느니라.'는 말씀이 마태복음 11장 12절에 있습니다. 빼앗으십시오. 천국을 소유하십시오. 힘들고 어려울지라도 참고 견디면서 예수님을 잘 섬기고 믿으면 분명히 여러분들을 천국으로 인도하실 것입니다.

사랑하는 형제자매님 꼭 예수님 품으로 돌아오십시오. 우리 예수님은 너무도 좋으신 분이십니다. 보잘 것 없고 초라하고 배움도 없고 무식한 저를 그래도 하나님은 버리지 아니하시고 이 날까지 인도해 주시고 도와주셔서 제가 이렇게 살게 된 것입니다.

부족해서 고난도 많았지만 우리 예수님이 여러분들을 구원시키고 싶으셔서 이렇게 제가 겪어온 일대기를 쓰게 하신 것입니다. 여러분들도 저와 똑같이 예수님으로부터 사랑을 받을 자격이 있습니다.

여러분들 저를 보십시오. 태아 때부터 배고파서 울고 또 울었습니다. 이 땅에 태어나서도 먹을 것이 없어 벌써 굶어서 죽어야 할 저였습니다.

하지만 우리 하나님께서 그 동안 저의 배고픈 배를 쓰다듬어 주시면서 지금까지 목숨을 유지하면서 살도록 인도하셨습니다. 이제는 하나님께서 제가 원하는 것을 다하게 해주십니다. 어떤 때는 싫다고 해도 안겨 주실 때가 많이 있습니다. 그 얼마나 신기하고 놀라운 일이겠습니까? 파란만장한 저의 인생살이지만 지금까지 살아가도록 목숨을 보호해 주신 분이 누구겠습니까? 우주 만물을 창조하신 하나님이신 독생자 예수님 밖에 없다는 것을 느낄 수 있지 않겠습니까?

하루는 애들이 어릴 때 철야기도 중 갑자기 하나님이 "집에 가봐라!"고 해서 급하게 가봤더니 집에 불이 나고 있어서 불을 껐던 적도 있었습니다. 조금만 늦었으면 정말 위험한 상황이었는데 다행히 자녀들도 다치지 않게 하나님이 지켜주신 적도 있습니다. 여러분들도 그렇게 하나님이 지켜주실 겁니다. 저와 같이 힘들어 하셨던 사랑하는 형제자매님, 꼭 예수님 품으로 돌아오십시오. 우리 예수님은 너무도 귀하고 위대하고 존귀하신 분입니다. 하나님은 천지를 창조하신 분입니다. 이왕이면 천지를 창조하신 하나님을 섬기십시오. 크고 놀라운 일들이 분명히 일어날 것입니다.

자녀들을 위하여서도 간구해 보십시오. 남편의 아픔을 위하여서도 간구해 보십시오. 아내의 아픔을 위하여서도 간구해 보십시오. 질병 속에서 허덕이는 형제자매님, 죽음 앞에서 지쳐 하지 마시고 주님 품으로 돌아오십시오. 우리 주님은 질병도 고치십니다.

예수님께 간구해 보십시오. 우리 예수님은 사랑이 너무 많으시고 너무도 좋으신 분입니다. 보잘 것 없고 초라하고 죽을 수밖에 없었던 저를 구원해 주신 예수님이십니다. 누구나 똑같이 사랑해주시는 예수님이십니다. 하지만 특별히 고통당하고 외로워하고 아파하고 슬퍼하고 고독한 분들을 더 관심 가지시는 예수님이십니다. 예수님이 저를 도와주지 않았다면 벌써 저는 정신병자가 되어 거리를 헤매고 살았을 것입니다.

지금도 거리에서 먹을 것이 없어서 옷이 없어서 슬퍼하고 외로워하고 답답해서 울고 계신 형제자매님들 계시다면 예수님 품으로 빨리 돌아오십시오. 가난한 자의 편이 되어주시고 가난한 자의 친구가 되어 주시는 우리 예수님은 너무도 좋은 분이십니다. 쉼을 주시고 사랑이 많으신 우리 예수님 품으로 돌아오십시오.

예수님께서는 여러분의 고통을 누구보다도 잘 알고 계십니다. 너무도 잘 알고 계십니다. 사람은 외모를 보고 판단하지만 우리 예수님은 중심을 보시면서 함께 울어주시고 함께 아파해주시고 함께 고통을 나누시는 분입니다. 형제자매 여러분 힘들어하지 마시고 죽고 싶다고 울지 마시고 우리 하나님을 섬겨보십시오. 우리 예수님을 모셔 보십시오. 예수님은 분명히 여러분들의 그 간절함과 아픔을 알고 계셔서 때가 되면 슬픔이 변하여 기쁨으로 바꿔주실 것입니다. 사랑하는 형제자매님들 꼭 예수님 품으로 돌아오십시오.

수고하고 무거운 짐 진 자들아 다 내게로 오라 내가 너희를 쉬게 하리라 (마 11:28)

세상에서 제일 겁이 많은 나

지금까지 한 이야기들은 세상에서 가장 겁 많고 미약한 한 여인이 쓴 글이다. 하루하루 살아온 인생을 짧게나마 이 책속에 열거한대로 나는 태아 때부터 두려움과 공포에 시달린 사람이다. 살면서 한 번도 마음편한 날이 없었고 늘 누군가의 핍박과 편견과 멸시 속에서 살아왔다. 그러다보니 지금 나이가 육십 대 중반을 넘겼는데도 아직 나잇값을 변변히 못하고 있다. 엘리베이터를 탈 때 남자가 타고 있으면 두려워 떤다. 다른 사람들은 그런 나를 이해할 수 없으리라 생각한다.

혼자 길을 가다가도 지갑에 돈이나 카드가 있으면 괜히 뒤를 돌아다보면서 누가 빼앗아 갈까 봐 돈을 빼서 이쪽저쪽 주머니에 옮기기도 한다. 그렇게 숨기면서도 계속 뒤를 힐끔힐끔 돌아 다본다. 이러니 매일매일 하지 않아도 될 걱정을 한다. 며느리가 늦게 들어와도 걱정, 딸이 전화를 안 받아도 걱정, 아들이 소식이 없어도 걱정이다. 무소식이 희소식이라는 말이 나 같은 사람을 위해서 생긴 말인 것 같다. 하루는 이런 일이 있었다.

며느리가 잠시 나갔다가 9시까지 오기로 했는데 시간이 되어도 집에 들어오지 않았다. 경비실에서 전화가 와서 뜬금없이 한 사람이 지하로 갔다고 했다. 그런데 시간이 되어도 며느리가 들어오지 않았다. 겁이 많아 지하 주차장에 가볼 수가 없어서 불안한 마음이 들어 그때 당시 6살 손녀딸인 세음이한테 소리쳤다.

"너희 엄마 미친년 아니냐? 너희 엄마 왜 그러니?"

"할머니 너무 걱정하지 마세요. 엄마 오기로 약속했잖아요."

오히려 나를 안심 시켜줬다.

"약속했는데 이렇게 안 오냐?"

"할머니, 그렇게 소리치면 안 돼요. 엄마 올 거예요. 엄마 간 곳이 굉장히 먼데 저도 가봤어요. 분명히 올 거예요. 오겠지요. 조금만 기다려 보세요."

차분하게 말을 했다. 30분이 지나도 안와서 세음이를 데리고 밖에 나가서 큰 소리로 말했다.

"짜증나 미치겠네. 야야, 세음아 밖에 내려 가보자. 너희 엄마 이쪽으로 갔니? 저쪽으로 갔니?"

"할머니 소리 지르지 마세요. 밤이라 잘 몰라요. 할머니 집에 가요."

그래서 우리는 다시 집으로 들어왔다.

"할머니, 아빠한테 전화해 보세요."

하지만 아들한테 전화를 했더니 아들도 전화를 받지 않았다.

"전화도 안 받고, 너희 엄마, 아빠는 어쩜 그렇게 못돼 처먹었냐? 전화들도 안 받고…."

며느리한테 전화를 수없이 해도 받지 않고 30분이 지나니 불안해서 미칠 것만 같았다. 혹시 납치라도 되었는지 걱정이 되어서 정신이 없었다. 그랬더니 세음이가 말했다.

"할머니 문자를 넣어보세요."

손녀 말대로 문자를 보냈는데 답장이 없었다.

"아무 답장도 없잖아. 잠도 못자고 이게 뭐하는 짓이냐?"

"할머니 그러면 방에 가서 주무세요."

"잠이 오냐?"

흥분해 소리를 질렀다.

"자면 되는데……."

세음이는 울지도 않고 차분하게 말을 했다. 잠시 있다가 세음이가 나를 위로하려고 그림으로 된 영어 카드를 보여 주었다.

"할머니, 이런 거 잘 모른다."

"할머니 영어 몰라도 돼요. 그냥 그림 보고 읽으세요."

오히려 나를 위로를 해주는 게 아닌가. 그러다가 며느리에게 9시 50분쯤 전화가 왔다.

"너 어디냐?"

"지금 걸어가고 있어요."

세음이가 통화를 듣더니 말했다.

"보세요. 할머니, 걸어오고 있잖아요. 화내지 마세요. 엄마 올 거예요."

그래도 나는 불안한 마음이 들어서 말했다.

"너희 엄마 분명히 납치됐다. 납치됐어."

"납치 안됐어요. 분명히 올 거예요."

시간이 가도 엄마가 오지 않자 세음이도 불안한 모양이었다.

"엄마 납치 됐나 보다."

"너 왜 그런 말을 하니? 너 그런 말 하면 안 돼! 왜 엄마가 납치됐어? 엄마가 왜 납치가 돼?"

이번엔 내가 오히려 세음이를 야단쳤다.

그때 며느리가 들어왔다. 며느리 팔을 두 번 때리며 꾸짖었다.

"너 왜 전화를 안 받니? 납치된 줄 알았잖아!"

"세음이가 저 바꿔달라고 어리광 피울까봐 전화를 일부러 안 받았어요. 어머님 저 더 때려 주세요. 더 때려 주세요."

웃으면서 며느리는 장난을 쳤다. 그렇게 한바탕 소동이 끝나고 마음이 진정된 후에 하나님께서 말씀하셨다.

"너 참 꼴 볼견이다. 오늘은 세음이가 50살이고 너는 2살이다."

하나님은 분명히 살아계신다. 어렸을 때부터 무서운 일을 많이 겪다 보니 얼마나 나는 겁이 많은지 모른다. 혼자 있을 때 누가 문을 두들기면 이불 뒤집어쓰고 열지 않은 적도 많다. 이렇게 겁이 많고 어리석은 내가 책을 쓰다니. 나는 또 다른 두려움에 사로잡힌다. 혹시 이 책이 누군가에게 누가 되는 것은 아닐까? 누군가가 또 이 책을 읽고 나에게 시비 거는 것은 아닐까?

그러나 나는 하나님의 감동에 의해서 이 책을 썼고 이 책을 통해서 많은 사람들이 치유의 길이 있음을 알게 해야 한다는 사명감 때문에 썼다. 수많은 상처받은 영혼 가운데 가장 큰 상처받은 나를 보라. 지금 이렇게 자녀들과 행복하게 살고 있으며 남에게 그들의 삶을 상담하고 이해해주고 기도해줄 수 있음은 가장 연약하고 미천한 자를 가장 크게 쓰시는 하나님의 은혜라 하지 않을 수 없다.

수고하고 짐 진 자들과 함께 짐을 나누고 그들과 함께 울어주고 보듬는 일에 평생을 바치겠다는 결심이자 약속이 바로 이 책이다. 하나님의 은혜가 이 책을 통해서 열배 백배 천배로 수많은 고통받는 이들에게 위안이 되었으면 좋겠다. 하나님의 뜻은 온 백성들이 천국가기를 원하신다. 할렐루야.

〈치유를 원하시나요?〉의 저자
권예리 목사의 육성파일

　이 책은 전체가 권예리 목사의 육성으로 이뤄진 내용입니다. 과거를 그대로 재연한 권예리 목사의 생생한 구술을 녹음으로 기록해, 이를 다시 정리해 만든 생생한 인생 실화이지요.

　이에 권예리 목사의 실제 육성을 독자 여러분들에게 들려줌으로써 이해를 돕고자 합니다. 제시된 큐알코드를 이용하면 저자 권예리 목사의 회상 장면을 공감할 수 있을 것입니다.

(녹음 파일 출처 : 소리샘 출판사 유튜브 채널)

아빠의 구박

https://youtu.be/8n5DMIEa13Q

엄마가 아파요

https://youtu.be/jMulZ7vEIyg

전쟁의 공포

https://youtu.be/9IKw39UAkfg

어느날 아빠가…

https://youtu.be/nfgvmmAPJms

선생님 잘못했어요

https://youtu.be/-RMX34TcywM

고마운 이장 아저씨

https://youtu.be/h_gRXL749NE

이발소에서…

https://youtu.be/yuTZeYJtOFE

권예리 목사의 인생실화

치유를 원하시나요?

1판 2쇄 발행 2017년 6월 5일

지은이 권예리
펴낸이 권예리
펴낸 곳 도서출판 소리샘
기획 1인1책(www.1person1book.com)
출판등록 2015년 7월 17일
주소 세종특별자치시 마음로 272-5 801호 (고운동, 티앤스타빌딩)
대표전화 044-864-7133
팩스 044-864-7155
이메일 sarangcenter3@daum.net

© 권예리

ISBN 979-11-960832-0-5 03800
책 값은 뒤표지에 있습니다.